大是文化

夢をかなえる読書術

精準閱讀

幫助最多人通過國家考試的大律師，教你進入看得下書的狀態，同時精準抓重點

幫助最多人通過國家考試的大律師、
伊藤塾補習班負責人
伊藤真◎著 林信帆◎譯

CONTENTS

第一章

你不會買錯書，因為……

第二章

CONTENTS

第三章

閱讀的竅門——什麼樣的內容，該怎麼讀？

第四章

當你沒時間讀，不知讀哪本、或讀不下時……

CONTENTS

推薦序一

閱讀是一種重訓，還能偷竊你想要的人生

「閱讀人」社群主編／鄭俊德

臺灣著名作家詹宏志曾說：「我有一個書呆子的勇氣。任何我不懂的東西，這世上一定有人懂，而且把它寫下來了，所以我只要找到書，就能學會它。讀一本書，可以偷竊別人的人生，不是很划算的事嗎？」這是我很喜歡又認同的一句話，當我們在人生這條道路上，遇到難題時，很多人希冀能夠遇到貴人或是天降好運，只求能安然度過難關。但我的認知是，求人不如求

己，因為遠水救不了近火，伯樂與貴人也不一定住在你家隔壁，讓自己擁有解決難題的能力才實在。

我想你會問：「該如何培養能力？抑或是怎麼知道去哪裡找到答案？」我的解方是「閱讀」。你所遇到的難題，都可能曾有人跟你一樣經歷過，無論是人際關係、經濟卡關、上臺簡報、親子溝通……尋求專家緩不濟急且費用昂貴，但多數的專家都出過書，把各種解方記錄下來，所以你需要用對方法，把書中的知識挖掘出來。因為閱讀不只是知識的汲取，更是人生卡關的解藥。

為何閱讀是一種重訓？如果你去健身房練習，教練一開始都會先要求熱身，並依照你的體能與肌肉量，規畫適合的訓練課程。閱讀基本上也是如此，我們創辦「閱讀人」社群後，常有讀者來信詢問如何閱讀、如何讀懂、如何實踐的方法，為了有效幫助更多人了解如何閱讀，我們開始高效閱讀力的相關課程。

過往許多朋友曾在學習歷程中，受過大量的挫折，導致他們對於看書總有負面的刻板印象，甚至敬而遠之。就像運動造成的肌肉傷害，閱讀技巧使用不慎也會受傷。

閱讀需要一步一步的從基礎訓練開始，就像本書提到，先打破過去大家對於書本的認知，以及重建知識的目的，透過長時間的練習，有步驟的閱讀重訓，才不會造成心靈傷害。

使用書本的關鍵是弄髒，當你弄得越髒，表示讀得越懂。書本的骯髒程度與理解度成正比，這不是把書丟到爛泥裡，而是畫重點與筆記的書寫，表示你對這本書投入的理解程度與用心。

經常有讀者來信分享他的難題，最常見的就是書一直讀不完，今天看書卻忘記昨天看過的內容，明天再讀又忘記今天的，陷入一個無限的閱讀迴圈，最後只有放棄。其實最好的解決方法，就是本書提到的弄髒。當你閱讀某一個段落後，試著利用筆記，藉由自己的文字，再表述一次內容，通常會留下最印象深刻的記憶。

當然，有人說書是很神聖的，捨不得在書上標示記號。我建議的方法是，如果這本書真的可以幫你解決問題，你又很想好好珍藏，那就買兩本，一本用力畫，另一本就供起來放。作者提到的方法也可以參考，就是影印，因為這更方便摺疊與隨身攜帶。不過，為了使更多好書得以留存，用買的比列印更適合，也比較不會牽涉版權問題！

閱讀不是為了考試，它只是人生的一小部分，因此我們一生中最需要解決的是人生的卡關，所以該目標不是一字不漏的背誦，而是讓我們遇到問題時，有所解答。

日本人氣漫畫作品《海賊王》（*ONE PIECE*）中，獲得全世界尊稱的海賊王——哥爾羅傑曾在臨死前說：「想要我的財寶嗎？想要的話可以全部給你，自己去找吧！我把所有財寶都放在那裡。」使得許多海賊為了爭奪寶藏，爭相前往海上探險。至於解決你人生難題的寶藏在哪裡？我相信你已經有答案了。

推薦序二

現今人類不缺資訊，少的是……

「閱部客」版主／水丰刀

這個時代變得太快，不斷演進新思維，今天學的好像明天就會過時，弄得大家人心惶惶，因為這似乎抓住了重點，卻什麼都沒領悟。

你逐漸會發現，很多推陳出新的名詞、形容詞等，都是把舊有的知識冠上新的詞彙出現在社群網站上；你滑開手機，可能會發覺很多媒體都在講述同樣的觀念，用詞卻不太一樣；大家追求速成、快速獲得資訊的同時，原本就很短的影片長度，又慢慢縮短不到一分鐘，混亂的淺讀每天的日常生活。

因此，我認為現今人類不缺資訊，不足的是深度閱讀的能力。看書無疑是我們獲取知識最重要的方式，但是絕大多數的人，都不知道該如何善用最基本的閱讀能力。而它有多麼重要，請容我簡單列舉三個原因：

1. 現代人追求淺顯易懂的知識技術，深度閱讀反而有更重要的地位，因為它才能啟發人類深度思考、鍛鍊大腦，所以在這一個層級，就拉開了「會閱讀」與「不會閱讀」的人。

2. 每個人在同樣的基礎下，看同一本書籍，卻很可能因閱讀能力的不同，產生理解差異，拉開彼此之間的成長距離。由此可見，看書也會影響你未來的發展。

3. 精準閱讀是指看書的同時，具備領悟重點的能力，它可以迅速掌握一本書的意旨，所以不管是在吸收文章、論文、書籍上，都能比別人快速且深入。

而作者引進獨創的學習方式，為我們深入剖析看書的技巧、指導我們如何培養閱讀能力，快速掌握書中的重點。翻閱書籍的同時，讀者要懂得與作者對話，像是在書上留下筆記、意見或是畫線，勇敢發表自己的想法。

但千萬不要陷入窮讀，你要從容的生活在這個時代，更要看書來增進自己的知識壁壘，掌握學問核心，這就是發展自我價值的加速器！

前言

書本弄得越髒，越能實現理想

書本弄得越髒，越能實現夢想——這是我的切身感受。

我是「伊藤塾」補習班的負責人，專門指導準備參加司法或公務員等國家考試的考生。敝公司設立至今已二十二個年頭，最近我也以原告團代理律師的身分，參與「實現一人一票之訴訟」和「安保法案違憲訴訟」（按：前者由於日本選舉是國會議員的多數比例決定，非人口比例選出，這顯示即便候選人獲得同數選票，也有當選和落選之別，因此作者等發起人致力於糾正「一票之差」問題；後者因新安保法案通過定案，允許日本或與日本有密切關係的國家遭到武力攻擊等危險時，日本隨時可向海外派遣自衛隊支援戰場。但作者等反對者認為，這法案會使得日本的「和平憲法」不再，甚而將日本捲入戰爭的漩渦）。

因為處在這樣的生活當中，我必須閱讀大量的書籍；工作方面，為了做出最淺顯易懂的教學，我還必須熟讀坊間的教科書、參考書和各種論文，並掌握重點傳達給學生。

另外，由於政府每隔幾年就會修法，法規一旦修正，身為律師的我，就必須熟讀更動的內容；當法院判決出現新的判例，就必須和學說進行比較，並查閱最新的報章雜誌。

當年我在準備司法考試時，每天會拚命讀十個小時以上的教科書或參考書，總之就是狂讀、猛讀、拚命讀。不是只有過目，還必須掌握重點，讀到能自由活用在課堂或論文上，且至今依舊持續這種習慣。

對我而言，書本是「思考的素材」。它能加深自己的思考，鞏固己見，也能協助尋覓自己的理想，深化未來的夢想。**既然書本是素材，維持原狀只會是材料，你必須使用它才有意義**，所以我才會指導學生盡量把書用髒。

因為你越是勤快的閱讀，書本上頭自然會畫上許多紅線，標記許多重點，顯現出使用的痕跡。教科書以外的書本也一樣，寫下筆記、意見與作者對話，透過這種舉動可以更加堅定自己的想法，書中的知識就能成為你專屬的財產。

每年都有許多合格考生從伊藤塾展翅高飛，這些人的共通點就是勤閱讀。我身處的司法界會考驗讀、寫的能力，當然在日常生活中，大量閱讀並習慣文字的人，自然容易合格。

如果你不喜歡看書，那就看看雜誌或部落格也好，總之要習慣文字。這種舉動不只限於司法界，其實對所有人來說都很重要。因為我們變成社會人士後，更不能缺少閱讀的能力。

成功人士的共通點是「勤閱讀」

當我還是律師時，每經手一個案件，理所當然要讀一整排書櫃的資料，因為口供等證據紀錄或參考文獻有如山高。畢竟官司會影響一個人的人生，因此大量閱讀和書寫，是最基本又重要的事情。

追根究柢來說，工作本來就是由閱覽和記錄大量文字所構成，像是電子郵件、報告書或資料等，我們會從龐大的資訊中獲取某種內容，並依此做出判斷，因此說閱讀能力會左右工作成果也不為過。

我認為看書是所有學習的基礎。若你輕視此習慣，在生活或工作方面都不會有長進。鍛鍊生存之力的最佳素材，正是閱讀。

世上沒有「無趣的書」

我一直認為這個世界上沒有無趣的書，不論是艱澀難懂的專業書籍，或簡單、輕鬆的娛樂書籍都無妨，兩邊並無高低之分。

人們會覺得無趣，是自己當下的感受。隨著成長，每個人的想法都會有逐漸改變的時刻，但這並非表示閱讀字數比較多的書比較優秀。對我來說，**就算整篇文章只有短短一句話能打動我的心**，讓自己更加進步，那就是一本優良的書籍。

閱讀是為了獲得思考的素材，除了有努力鑽研知識的一面，我也有純粹享受書中世界的時候，這兩種都會讓人感到興奮。

我認為人們是為了得到幸福，才拚命生活。基本上大家對待任何事物都一樣，為了獲得幸福又圓滿的人生，才會勇敢行動，如此一來，社會就會逐漸增加幸福能量。

每個人的閱讀或感受方式，永遠都很自由。正因如此，我希望大家能挺起胸膛，主動翻閱能讓自己感到愉悅的書籍。不管在什麼時候，書本都一定會讓人有感而發、扣人心弦，使你對某個世界感到興趣或好奇，最終改變自己的舉動及思想。

然而，使自己成長、**實現夢想，同時又使你感到幸福的讀書術**是什麼？

要如何積極選擇、使用和學習哪種書籍？又該如何弄髒書本，讓它成為自己一生的寶物？本書將會一一傳授這些方法。

若透過本書能為你帶來一絲的幫助，我會十分欣喜。

第一章

你不會買錯書，因為……

1

人生有限，讀什麼書才對？

書本具有玄妙無窮的智慧。

人們為了實現夢想、獲得幸福，應該在人生有限的時間內，將書本的力量發揮到淋漓盡致。

那麼，又該閱讀哪種書？本章將傳授選擇書本的基礎法則。

基本上，應該先從自己有興趣的書下手，因為自身的喜好更容易觸動心弦，這比任何事情都來得重要。

你是否有這種經驗？有人給你一本厚重的書籍，要你在短時間內寫下心得感想，不過往往來不及讀完；或是非讀不可的參考資料，你卻提不起勁閱讀。這不是任何人的錯，問題在於你和那本書的「契合度」。不想看書時，不讀也罷，因為我自己經常也是這樣。

前言中也曾提到，我打從心底認為，世界上沒有**無趣或派不上用場**的書。因為那**只是當下的感受**罷了。當一本書讓你感到無聊時，這本身就是一種學習。進一步來說，**本來就沒必要讀完書中全部的內容**。

就算你現在沒有興趣閱讀，可是手中又有好幾本書時，你僅要知道這個世界上存在著各種意見就好。當你湧現想看書的心情後，自然就是閱覽它的最佳時機。

抱持這樣的心態閱讀，創造知識的可能性將永遠為你敞開。

2 刻意閱讀與自己相反的見解

書本對我來說是思考的素材，這是鞏固自身思考、描繪全新觀點、加深想法的元素。

在閱讀的同時，我習慣一邊進行各種推問、一邊充實自身的思考。例如：「沒錯！就跟這位作者說的一樣。」或「作者的想法和我不同，但為何他會這麼想？」等。

從這層意義來說，閱覽見解與自己相反的著作，對人非常有幫助。為什麼？因為這能協助你用不同角度思考事物，或是彌補自身的弱點。為了不讓腦袋僵化、固執己見，我會積極閱讀與自己意見不同的作品。

拿我身邊的例子來說（雖然會有些專業），我們一起來思考《日本國憲法》第九條的爭論（按：《日本國憲法》第九條於西元一九四六年頒布，主張日本政府為了和平，放棄戰爭、不維持武力、不擁有宣戰權，也因此被稱為和平憲法或非戰憲法）。

某位律師抱持強硬的態度，堅持反對《日本國憲法》第九條；或者原本是護憲派，現在卻主張應配合現狀修改憲法，這兩者都認定，為了讓日本國民更加幸福與和平，勇於廢除才是最佳做法。很明顯，此想法與我背道而馳，但正是像這樣的書籍，我會更積極參考。

閱讀的當下，會讓我產生一種錯覺，宛如自己正身處學術研討會，與這些作家進行激烈的討論。「這樣的觀點有點不對。」或「原來也有那樣的想法。」等，我會一邊探討書本的內容、一邊認真的與作者對話。

日本代表性評論家小林秀雄在《關於閱讀》一書中寫道：「讀書亦與人生經驗相同，是一種真實的體驗。」這句話十分有道理，一邊向不同見解挑戰、一邊閱讀，會有一種彷彿作者當面與自己辯論的感覺。

正因為我們**接觸相反的觀點，自己才能有新的認識或發現，並發覺自身的弱點**，讓自我更加成長。

3

看書，為你說的話找到專家認證

正如前述，閱讀意見相異的書籍，能提供多元或全新觀點，協助自己思考不同論點，並鞏固已見。另一方面，你仍然需要參閱相同想法的著作。

「專家也這麼說，果然我的想法沒錯。」就算該書作者的領域與自己不同，是另一個領域的專家或權威人士等，只要他們的觀點與自己一樣，就能讓我的見解更有根據，並增添幾分自信。

遇見這樣的作品，你可以筆記下來或標記符號，藉由能派得上用場的內容，當作自身觀點的參考。

前陣子，我拜讀了日本腦科學家茂木建一郎教授的《感動腦》。當時我碰巧在車站的便利商店看到這本書，我被封面上頭的書名「感動」一詞吸引，因而衝動購買，並在新幹線上一口氣讀完。

這本書有趣的原因，在於作者分析人類如何理解事物。他表示我們為了理解他人，必須主動和自己腦內的資訊進行對照。換句話說，若一個人的大腦有很多可用來參照的材料，就比較容易領會所有涵義。

書中提到：「大家常說，經驗越豐富的人越能理解他人的心情。這點從腦科學來看也很正確。因為自己經歷過悲傷，才能感同身受；因為自己痛苦過，才能了解對方的辛苦。這在科學上已經獲得證明。」這也指出大量閱讀、體會各種經驗，與人交談，才能夠獲取更多的思考材料，且可以更正確的理解事物，這和我長久抱持的想法一致。

當下意外得知作者茂木教授和我的想法相同時，我非常開心。今後談論關於理解的觀念，我似乎能挺起胸膛的說：「腦科學家茂木建一郎也發表過同樣的看法。」

所以，請不要無視和自己相同的見解，甚至不要認為：「這種事情我早就知道了。」你應該虛心的接受每位專家撰寫的內容，並且尋求當中值得學習之處。

「專家也這樣說。」引用專業人士的話加以證明，可讓對方有全新的發現，也能讓自己的發言更受肯定。

4 相同道理的不同探索路徑，總讓人興奮

不論觀點是否與自己相同，我還會積極閱讀其他領域的書籍。例如前陣子讀了專業領域與我完全不同、腦科學家茂木教授寫的作品，藉此我還獲得許多啟發。

那本書提到，為了培育感動的大腦，可在腦中創造「空白部分」。像諾貝爾獎得主平時會進行非常大量的研究，但據說他們不會因此塞滿自己的內心，這是因為他們知道如何刻意製造空閒時間，讓大腦留有空白，自身的思想才能進化，更具創意。

我讀完這本書的時間，大約是深夜兩、三點，抬頭不經意的看到稍微缺角的月亮，高掛在東京的夜空中，並且散發皎潔的月光。「原來在東京也能看見這麼美的月亮。」我內心不禁一陣感動。對我來說，在這短短不到一分鐘的時間內，能夠忘記工作或任何事物，專心眺望明月的空閒時光，相當觸動人心。如果沒有閱覽這本書，就不會有這樣的瞬間。

原來，偶爾閱讀其他專業領域的書籍，也是一種選書的方式。而這也表示，人類的本質會跨越專業領域，最後抵達相同的終點。茂木教授是從腦科學的立場，談論人類本質的多樣性；我則是從憲法的角度切入，進而察覺尊重多元化的重要。

探索的路徑有很多條，但能透過閱讀，抵達本質相同的盡頭，就能獲得更大的收穫。

就連在超商衝動購買的書籍，都能學到這麼多觀點。果然閱讀會使人成長，並引人邁向真理，這使我添增不少自信。

5

你習慣從終點思考？還是起點？

實現夢想最重要的，就是從「終點」思考。

終點如果不夠明確，你會不知道該往哪個方向奔跑；若任意前進，可能會因為筋疲力盡，而半途而廢，永遠無法達成目標。

我一直建議來伊藤塾就讀的考生，積極閱讀或詢問畢業學長姐的「合格體驗記」，這能讓你的目的地更加明確。

何時？該讀什麼？如何讀書？以及格為目標的考生來說，藉由他人的成果，從終點反推，理解成功人士的技術，非常具有實踐性和效果。但千萬不能照套，合格體驗記畢竟是他人的經驗。

每個人各有差異，因為至今的生活態度，或學生時期的經歷都不太一樣。就像在校期間「一直在運動的人」和「讀了許多書的人」，兩者的背景必定截然不同。此外，對方所處的環境、讀書所花費的時間、還有對公家考試的意念和動機、實現夢想的意志強弱也不盡相同。當然，記憶或理解等能力也有區別。我想強調的是，學習別人的技巧時，不用太在意前述的差異。

以至今教導許多考生的經驗來看，我可以斷言，實現夢想與個人的本領沒有直接的關係。反倒是你過去的經驗、生活方式、環境差異或意念強弱，帶來的影響比較大。

透過他人的經驗談，充分認識自己和對方的不同，模仿能學習的要點，無法仿照也不需要勉強自己，請不要過度敏感彼此之間的差別。

若和他人的成功經驗比較，難免會意志消沉的認為，「我做不到這麼厲害的事情……。」但是你能用盡全力**模仿自己做得到的事**，這正是從終點思考的重要技術。

6

想成為什麼樣的人？——先讀讀你理想的範本

人生不會在你考試滿分後，就此畫下句點。重要的是，你該如何計畫成功之後的樣貌。如果是連續劇或電影，夢想實現的瞬間，就會以美好的結局落幕，但現實中，人們達成目標後，生活依舊要繼續。

市面上的書籍，大都只傳授如何實現夢想的方法，但我希望讀者們也能關注一個問題——夢想成真之後，你該如何生活？

首先我會建議你閱讀理想範本，若你想進入司法界，就閱讀作者是律師、法官或檢察官等身分的書，將他們撰寫的作品視為模範。

書籍類型可以是寫實或評論，就算是小說等虛構故事也無妨。實際上，坊間有很多律師寫的推理小說或法庭小說。閱讀這類書籍，留下「原來律師的工作如此有趣」，或「法庭審判原來是這樣進行」等印象也行。

我曾在三十歲時，閱覽美國律師兼作家約翰．葛里遜（John Grisham）著作的法庭推理小說，該故事描述一群任職於頂尖法律事務所，為民眾伸張正義的年輕律師們的工作型態，並驚悚描繪他們揭發犯罪的過程，這是一部非常有趣的作品（按：即《黑色豪門企業》〔*The Firm*〕）。

像這樣藉由閱讀**自己理想職業的書籍**，可以盡情發揮想像，並有效提升實現夢想的熱情。不光這樣，你也能跨越領域，觀察各個成功人士的生活型態，如此一來，就可以更進一步發展自己的未來。

閱讀的順序如下：

1. 閱覽自己的理想範本，想像自己未來希望嘗試的工作。
2. 透過合格體驗記，學習實際可以運用的技術，來達成目標。
3. 請試著參考內容比較抽象的書籍，主要是探討自己**合格後，想變成何種樣貌**，或經過努力，打算蛻變成哪種類型的人。換句話說，這類書籍能讓你想像成長後的自己。

社會上有許多人會透過慈善活動來貢獻社會，你也可以透過這些人的著作，試著學習他們的理念或精神，慢慢思考未來的目標，以及該如何自我磨練的方法。

7

沒人能套用一流人物如何成功，而是故事值得深思

為了鍛鍊自己成長，我建議閱讀「超一流人物的著作」。超一流人物是指已經受到大家公認的頂尖人士、或歷史偉人。因為他們的文章引人深思，你可以獲取不一樣的收穫。

例如《實現巨大夢想的方法》（日本文藝春秋出版）一書中，彙整亞馬遜（Amazon）創辦人傑夫·貝佐斯（Jeff Bezos）、谷歌（Google）創辦人之

一賴利．佩吉（Larry Page）、阿里巴巴集團創辦人馬雲等知名人物，送給大學畢業生的演講稿。

起初「實現夢想」這個標題吸引了我，閱讀後更是讚嘆連連。不愧是成功人士，他們所說的話就是與眾不同，我甚至羨慕美國的大學生，能在畢業典禮中聽到這麼棒的演講。

說到演講，以蘋果創辦人史蒂夫．賈伯斯（Steve Jobs）在美國史丹佛大學的講稿〈求知若飢，虛心若愚〉（*Stay Hungry, Stay Foolish*）最為知名。但這本書介紹許多精彩且知名的演說，完全不遜於賈伯斯。

例如馬雲考大學時，曾經落榜兩次，途中跑去當三輪車車夫，度過一段辛苦的人生。當他成功之後，獲邀至中國清華大學，向當時的畢業生演講，他說：「今天很殘酷，明天更殘酷，後天很美好。但絕大部分的人死在明天晚上。」這正是體驗過人生挫折，卻堅持不放棄夢想之人，能夠發自靈魂深處的話語。

此外，雅虎（Yahoo!）創始人楊致遠，也曾在夏威夷大學希洛分校的畢業典禮上演說：「請走出自己的框架，展翅飛向世界；請不要停留在熟悉的地方，應該在前人未達的土地上留下足跡。」由單親媽媽扶養長大的他，十歲剛到美國時，完全不會說英文。

正是經歷過痛苦、成功創辦雅虎的他，才能依照本身的經驗，建議大家勇敢探索身邊寬廣的世界。

這就是我推薦各位閱覽超一流人物著作的原因，就在於那能聯結作者和自己的大腦。只要這些作品有仔細的彙整他所經驗和學習的事物，我們就能透過該書共享資源。

閱讀一本好書，能夠有效影響人的想法，進而開拓自己的世界。

8

立刻能派上用場的書不能永留

對我來說，在一望無際的書海中，最完美無缺的正是經典。它是經過漫長歲月的洗禮，所流傳下來的書籍；它會超越時代、民族或性別，蘊含許多人生哲理。

德國哲學家阿圖爾．叔本華（Arthur Schopenhauer），在他生平最後的作品《附錄與補遺》（*Parerga and Paralipomena*）提到：「要振奮精神，沒有書籍優於希臘和羅馬的經典。只要拿在手上閱讀短短半小時，就會感覺心靈受到洗淨，情緒非常高昂，有如旅行者用清涼的泉水提振精神般。」

經典的力量就是如此強烈，不知道這一點真是白活了。或許有人會認為：「現在讀那種書籍，完全派不上用場吧？」也有人會覺得：「經典很艱澀難懂。」的確，它可能不會立刻發揮作用。

但我反而認為，立即能派上用場的書，很快就沒有效能。只在現代通用的書籍，確實有許多重點值得學習。但與其花費時間看一本今後未必永久保存的作品，為何不用相同的時間閱覽更有用的經典？其他事物也一樣，例如最近文部科學省（相當於臺灣的教育部）說不需要文科，應該把重點放在理科。事實上，這卻是為了回應產業界的要求，把立刻能派上用場的人才送入社會。

回顧日本明治時期，政府也曾經高舉富國強兵政策，要求各家大學做同樣的事情。對此毅然表達反對意見的，是日本近代思想家福澤諭吉等人，當時日本慶應義塾大學的系主任、兼工學博士的谷村豐太郎也曾反駁：「立刻能派上用場的人，很快就會沒用。」

實際來看，真正能表現功用的是有「涵養」的人，而涵養的基礎正是乍看沒用的哲學、歷史或文學不是嗎？

我們經常只專注眼前的事物，但隨著環境或社會體制的改變，當下的想法立刻會有一百八十度的變化。所以不要受其擺弄，應全神貫注於本質、大家經年累月守護的普遍事物上。

現代新書仍需要花點時間，受到時代的洗禮。只有經過長年累月，透過眾人銳利目光和市場精挑細選，最後所流傳下來的書籍，一定沒有錯。

9 買錯書，其實你正形成自己的見解

準備學習某個主題時，我會一次購買二十到三十本的相關書籍。為什麼？因為正如前述，我習慣將贊成、反對和中立見解的作品一起閱讀，當這三種意見交雜在一起時，不知不覺就會累積成這個數量。

當然，這麼多的書籍中也會有敗筆，例如看了之後，才發現裡頭只有一句話能派上用場。特別是在網路書店購買、無法事先翻閱的作品，內容總是會跟我預期的截然不同。

但我仍然會告訴自己：「因為這一句話幫了我很大的忙，所以能讀完整本書真是太好了。」那本書當然就會成為自己的必要之物。不管是哪種書，都一定會有收穫。**選擇錯誤也是一種學習，所以買書切忌猶豫，這並非浪費你的存款**，只要讀二十到三十本書，你就能形成一定程度的見解。

此外，當我要學習完全不懂的領域時，一定會在書單中安排「輕薄入門書」、和該領域必讀的「主要書籍」兩種分類。

入門書是為了理解相關主題的專業術語或概念。

假如閱讀的前提條件，是已經掌握法律等困難知識，那對該領域陌生的人自然會看不懂。像是不懂「集團自衛權」和「集團安全保障」的人；或從未意識到憲法和法律差異的人，就算讀了談論「修憲利弊」的法律書籍，也不懂詞彙本身代表的意思，無法正確理解論點的差異。

若是完全不熟悉的領域，我會先透過簡單易懂的入門書學習，免得一開始就因為不懂的詞彙而受挫。

畢竟不太可能單憑一本入門書，就能完美吸收知識，因此我建議，還是要準備兩到三本初學書籍比較好。你可以到書店翻閱內容，以「是否適合自己」為基準挑選，像是有插圖或字型很大、很好讀等，還能詢問書店店員，或上網提問：「初學者適合看哪本書？」，來獲得提示。

藉由入門書，可以大致掌握整體的概要，這樣在閱讀主要書籍時，第一頁就能明白作者要傳達的內容。如此一來，就不會完全看不懂在寫什麼，也能放心閱讀專業書籍。

（按：集團自衛權是指一種進攻作戰的潛在概念，與本國關係密切的同盟國家捲入他國武力紛爭時，無論自身是否受到攻擊，都能用武力主動介入以打擊某一方；集團安全保障是根據聯合國的體制，當某個國家即將放棄使用武力或是以武力為威脅，以求達成國家利益及目標時，所有國家能針對違反此一原則的侵略國家，進行集體制裁，來維持國際和平及秩序。）

10 先讀厚重的書苦如修行，但助你豁然開朗

前面提到要學一個全新的主題時，我會先從輕薄入門書下手。不過有人和我相反，一開始會先閱讀「厚重書籍」。

LIFENET 生命保險公司創辦人出口治明，曾在他著作的《書本的「使用方式」》中，提到他一定會先閱讀厚重書籍，最後再讀輕薄入門書。

出口治明深信先從厚重書籍開始努力熟讀，多少一定會有收穫，他說：「如此一來，讀完四到五本書後，就能清楚掌握該領域的輪廓。」據說按照這個順序，再讀入門書，會有「我知道了，原來這本書指的是這個意思」，

一口氣消散眼前白霧的感覺。

的確如此，不少考生會先自學，並絞盡腦汁的研讀法律專業書籍，而這樣的人在聽了我的課程，或遇到整理得淺顯易懂的講義後，都一同表示如眼前的白霧消散般，並感動的說：「原來作者想傳達的概念是這樣啊！」

因為他們已經歷厚重書本的鍛鍊，所以之後閱讀輕薄入門書，會覺得有趣又好懂。按道理來說，或許這種閱讀方式才是正確的，但我認為先閱覽厚重書籍的那段時間會苦如修行。

有人能夠接受這個順序，有人則無法忍受。我就是難以承受的人，因為如果先挑戰厚重書籍，一定在第二或第三頁就會感到挫折。因此，不擅長讀書的人，我推薦先讀輕薄入門書，才不會鎩羽而歸。

11 挑戰入門書後，你該攻下一本一流著作

當你藉由入門書，掌握一定程度的概要後，就必須勇敢挑戰主要專業書籍、厚重書籍或經典著作。就算內容艱澀難懂，也要不氣餒的讀懂它。

評論家小林秀雄曾說，每一本一流著作都很艱深，因為這是由絕頂聰明的天才，描繪他們抵達一流境界的作品，所以凡人無法立刻理解，他說：「艱澀是理所當然的，所以要反覆讀到看懂為止。」

另外，他也建議閱讀該作者的全集。因為透過作者的其他作品，讀者可以進一步了解，一流作者想傳達的獨特見解。甚至他還表示：「光是傾聽或

閱讀別人的意見，而不付諸行動的話，那便毫無意義。」這句話聽起來實在刺耳。你周圍有沒有光看讀書術或學習法的書，卻不實際行動的人？正在看這本書的你，有閱讀的習慣嗎？吸收再多的建議，不實踐就毫無意義。

請你藉由這本書，試著從今天開始行動。先嘗試閱讀自己有興趣的入門書，讀到某種程度後，請勇敢的挑戰厚重書籍。

此外，先提醒讀者一件事：希望你在閱讀的同時，能留意那本書的目標讀者是誰。例如有一種專門協助法學研究者，發表自身的研究成果的書，這種書是給研究人員參考用的，所以初學者讀起來會非常辛苦又沉重。

因此，各位在購書前，請務必挑選符合自己目標的書籍，這樣你才能讀得輕鬆又有收穫。閱讀就從今天開始行動，在有限的人生中，選擇吸收什麼樣的知識，必然會改變你的生活。

第二章

使用書本的最佳方法：弄髒

1

看書就跟吃飯一樣，嚼到不成原形，越容易成為養分

再次強調，書本就是思考的素材，所以我會徹底把書弄得髒亂、用得淋漓盡致。

這就跟食物一樣，生的馬鈴薯或豬肉無法直接成為身體的養分，必須切碎、過火、用牙齒咀嚼直到不成原形後，讓身體吸收營養，確實消化成自己的血肉。

同理，閱讀一本書時，我會在書上畫下重點、使用螢光筆標記關鍵詞、

畫圈或打問號等。不僅如此，每當我有所感受，立刻會在書本上寫下自己的意見、疑問或歸納等。

我的線不會畫得很漂亮，但不是隨性一筆，而是**畫兩個圈，甚至用力畫上好幾個圈，盡可能留下當時的想法或亢奮的情緒**。之後回顧時，就會清楚知道哪個部分曾觸動我的心；寫筆記時，我也不會寫得像是要給別人觀賞一樣工整。因為書本只是素材，單純弄髒也無妨。

其實我有很多書籍，破舊程度讓旁人看了會覺得傻眼。

或許，有人很寶貴書籍，無法接受別人直接寫在書上；也有人會想要保持乾淨，以便之後再拿到二手書店販售，但我覺得**書本維持得越乾淨，越表示那永遠都是「客人」，不會成為自己的「親人」**。

不光是用肉眼捕捉文字，而是要動手畫圈、做記號或筆記，才會讓內容在記憶中扎根，方便自己整理重點。對我來說這些記號，是我和書本對話的痕跡。就像人與人對話時，也會做出「是的」、「原來如此」或「那好像不太對」等反應。回應越多，等於互相交談的次數越多。

同樣的，這種方式會使我們持續和書本溝通，如此一來，就能積極吸收書本的內容，將其化為實現夢想的養分。

2 怎麼畫教科書重點才會考高分？

書本的骯髒程度和理解度成正比，尤其當我成為補習班的老師時，更加明白這一點。教科書越新又乾淨的人，越難想像他平常有在用功學習。而越是勤勞的學習，教科書自然就會因為筆跡而變髒，看起來很老舊。

教科書和一般書籍不同的是，我們藉由教科書，清楚理解書上的重點。換句話說，我們必須將作者的腦袋完整移植到自己的腦中，所以畫線或打圈的目的，皆是為了正確記憶內容。

另一方面，我們則不需要徹底記住一般書籍的內容。只要挑選幾處對自己有意義的摘要，把它變成自己的養分就好。當然，挑選重點、畫線或標記，是為了使它成為自身思考的契機，而不是為了加強記憶，所以跟教科書的作用截然不同。

閱讀目的不同，自然標記的部分或畫法也會不一樣。也就是說，弄髒的部分或方式會有差異。

附帶一提，畫重點也有方法。我經常會對補習班的學生說：「教科書至少要讀五遍。」因為教科書是以頻繁翻閱為前提，所以剛開始就不分青紅皂白的在教科書上畫線，或把書弄得太髒，之後不知道真正的重點在哪，自然就不會想去看它。

我在準備司法考試時，也曾用螢光筆在教科書上畫滿重點，結果導致整本書一片通紅，根本搞不清楚關鍵字到底在哪裡。之後我學乖了，我改用顏色較淡的彩色鉛筆取代螢光筆，然後分成好幾種類型上色。

記住，各位要懂得在標記上做一些巧思，之後當你重複閱覽時，才不會感到厭煩。

3 不想弄髒書籍，就影印

使用書本時，我最推薦大家影印內容，以便隨身攜帶。

授課時，我也會指導考生先影印當天上課會用的部分，然後把影本帶到教室盡情弄髒，回到家後再仔細整理講義，把重點記入於教科書上。這樣不僅可以複習課文，也能用自己專屬的方式整理思緒，使它變成一本真正能輔助自己成長的筆記本。

當然這方法不只限於教科書或參考書，只要有心認真研讀一部作品，也可以使用這個方法。因為是影本，更能毫無顧慮的弄髒它。

如果是厚重的硬殼精裝書，不僅難以翻閱又很沉重，但若是幾張影本，就**能輕鬆攜帶**。有時，我在圖書館也只會印有需要的部分，不會另外借書。不僅如此，當你實際讀過，發現這本書幾乎沒有新論點時，你無法果斷的丟掉書本，卻可以丟掉影本，所以處理起來也比較方便。

除了書本以外，像是部落格或網路文章，也可以整理成幾十頁的WORD檔案，列印帶在身邊，以便自己做筆記。

這麼一來，就能放心弄髒資料，讓它成為獨一無二的智慧。

4 這樣萃取一堆書的精華，省時省空間

正如前述，學習全新領域的知識時，我會一次購買二十到三十本書。透過相互對照，加深印象，而最需要的工具還是影本。

依照主題，列印自己需要的部分，就能**在桌上成排擺開**，相互比較閱讀；把書本重要的資訊視覺化，**就能掌握整體樣貌**。當然，隨著重點的多寡，影本會逐漸堆積一定的份量，所以我會善用立式檔案盒，依照主題分別保存。

我會將頻繁使用的資料放在前排的檔案盒中，也就是一眼看去容易取出

的位置；以備不時之需的參考資料，則會放在後排。這樣只要看該主題的檔案盒就好，省去翻閱書本、尋找重點的時間。

不僅如此，我還會設置影本編號，設計資料一覽表，分別記錄哪個檔案盒，保管什麼影本。這樣既不用翻箱倒櫃，也不用翻看書籍，就能立刻知道需求在哪裡。

5 閱讀邊畫邊寫邊貼

讀書時，我一定會隨身攜帶：原子筆、筆記本和便條紙。即使工作出差，我也會在旅館的床頭櫃上放這三樣東西。對我來說，學習是由閱讀和標記所構成。**我會一邊讀書、一邊不停的畫下重點、貼便條紙或記錄文字**。

閱讀時，我最重視的是「疑問點」。

每當腦中冒出疑問，我一定會立刻寫在書上：「這是什麼意思？」像這樣發現問題的當下，我會將它標記起來，並在事後查詢、收集作者等相關資訊，這個舉動會讓我的世界變得更寬廣。當然我也會視情況影印，進一步確認內容。

總之，不論何時何地，書本上只要出現令人在意的疑問點或是重點，一定要趁還沒忘記前，立即畫線、貼便條紙或留下筆記。不然之後想標記或重複閱讀時，恐怕找不到關鍵在哪。記住，要把握當下，趁記憶還鮮明時，留下記號。因為文具用品或便條紙不離身，即使睡了一覺，透過筆記就能找回資訊。

說句題外話，我不用現在流行的可擦式原子筆。**就算事後發現筆記寫錯或搞錯重點、畫錯線，那也是自己當下的想法，因此我會想保留那樣的痕跡**。我不會使用可擦式原子筆，但一定會隨身攜帶普通原子筆。

我堅持用原子筆的原因是，國家司法考試通常為了防止考試答案被偷偷竄改，規定只能用原子筆作答，禁止使用自動鉛筆或鉛筆。所以為了能在正式考試中流暢作答，平常就必須習慣使用原子筆書寫。

授課時，我也經常告訴考生：「正式考試必須用原子筆作答，所以請同學們先鍛鍊手臂的肌肉，再上戰場。」因為我戒不掉這個習慣，所以原子筆到現在仍是我的必需品。

6 色彩鮮豔的標記是你思考的痕跡

這一篇我要介紹標示重點的具體方法。

例如，在書中看到「這在某處用得到」，或「作者跟我的意見一樣」等代表我能認同的要點，我會畫「○」；「這裡跟我的意見不同」、「他寫的這段話有矛盾」，或「這只基於單方面的價值觀」等否定的地方會畫「×」；另外，作者寫得特別優秀的部分，我會畫「◎」。

畫重點時，你可以使用手邊的原子筆或螢光筆標記，並以顏色區分。

像第一次用黃色螢光筆畫線，第二次閱讀依然覺得很重要時，可以再用粉紅色螢光筆在黃線上打○；黃色是第一次，粉紅色是第二次，善用螢光筆分色，可讓心中掌握節奏，一眼看出哪邊重要或有什麼收穫。

此外，因為螢光筆比原子筆顯眼，有時我第一次會用紅筆畫線，第二次再用黃色螢光筆標記，更換筆記用具、區分顏色，有助於加深記憶力。之後回想時，就能馬上浮現鮮明的印象，例如「那個好像有在左上角畫紅色的圈，並用黃色螢光筆標記的重點」等。

色彩鮮豔的標記，是我和書本奮鬥的痕跡，也是思考的結果。

7 朗讀內文

正如前述，閱讀的同時要隨手畫下重點或抄寫筆記，這容易讓摘要在記憶中扎根。

前陣子，我看了精神科醫師樺澤紫苑著作的《高材生的讀書術》，果然他也建議一邊閱讀、一邊要畫底線或寫筆記。據說這個動作能活用大腦多個區域，所以可以輕易殘留重點在腦海中。

此外，樺澤醫師也推薦「朗誦」，從腦科學的見解來看，一邊朗讀、一邊畫線可以活化大腦，使重點印象深刻。這不正是我在準備司法考試期間，曾經實踐過的方法嗎？當年我也會大聲朗讀，隨時複習教科書的課文。

閱讀、書寫、朗誦，並傾聽自己發出的聲音，這會刺激和運用大腦，正是一種能加深記憶的學習法和讀書術。我也一直建議我的學生用這套方法，再加上現在有腦科學的依據，更讓我充滿自信，深信這個方法果然沒錯。

此外，日本明治大學文學院教授齋藤孝，也寫了一本名為《朗讀日本語》的暢銷書，其中也推薦朗誦的技巧，強調這個動作就能活化大腦。據說日本江戶時代會讓孩童大聲唸出《論語》，也是為了透過聲音訓練腦袋。

除了標記或筆記之外，還要記得重複朗讀，這樣就能獲得更好的效果。

8

做標記，就要盡情摺頁

另外你也可以透過摺書角的方式，留下摺痕，記下重點。

你可以分成「上摺」和「下摺」，這兩個舉動具有不同的意義。能夠認同作者的段落，就用上摺，也就是摺書頁的上端；反之，無法認同，甚至感到奇怪的內容，我會摺書頁的下端。留下摺痕，日後就能馬上找到想要的段落，所以非常方便。

不過擁有許多摺痕，並非代表那一定是本好書，因為摺痕不等於讚許那個作品，也有可能這個資訊剛好派得上用場罷了。所以就算只有一處摺痕、一段話等微小的發現，對自己來說都是巨大的收穫，理所當然，這個著作就是一本好書。

9

用四角形框出關鍵字，抓住重點

每本書都具有專屬的關鍵詞，當我發現一個單字或段落是要點時，一定會用「四角形」框住它。

例如憲法學者兼東京大學名譽教授的樋口陽一撰寫的《「憲法改正」的真實》中，出現「知的義務」一詞。大家都知道「知的權利」這個名詞，已被普遍使用，卻不太常聽到知的義務。當我好奇的繼續閱讀時，作者提到國民身為國家的主權者，對於維持和營運公共社會的必要事項，有知的義務。換句話說，不是光說「不知道」就沒事，而是有義務去了解社會（按：知的權利是指人們有不受限制、充分獲得資訊的權利）。

我第一次聽到這個用詞的當下，才發現：「原來如此，知的義務很重要呢！」所以畫下四角形框住此名詞。像這樣，用四角形框起來，凸顯關鍵字，就能清楚理解書本的宗旨。

通常書上會反覆出現關鍵字，所以要找到它並不困難。如果有詞彙用法跟平常有點不同，或令人感到奇怪或在意的內容，這可能就是重點。試著一邊留意、一邊閱讀，**遇到在意的詞彙就先用四角形框起來，你就能快速掌握此書的要點**。

10 將你標出的關鍵字，串成一篇讀後文

畫線、善用螢光筆標記、使用四角形框住關鍵字的同時，也必須意識到這個資訊的用途。

「這個部分說不定演講用得到」、「這裡能反駁那個意見」或「這裡待會再細讀一次」等，簡單來說，就是領悟終點及輸出。如果只是漫不經心的翻閱，不自覺就會把書讀完，完全記不住內容。抱著「這點能活用於某處」的目的閱覽，就會明確浮出關鍵詞或段落。

這時，我也會利用電腦，把摘要輸入成WORD檔，將那些可能派得上用

場或不想忘記的部分，甚至一整篇文章記錄下來。事後為了方便查詢出處，我另外會標示「書名」、「作者名稱」和留下筆記的「日期」，當作自己的札記使用它。

做到這個地步，就能把書本的概要確實記在腦中。

有時我還會在檔案後面追加「這句說的沒錯」或「正是如此」等肯定的評論；有時則會打下「這裡的論點很奇怪」等疑問，最後**附注自己的意見或見解**。

發表感想時，我的手指會欲罷不能，有時回過神來，已經打了一篇相當長的文章。這些筆記或檔案，想必日後在深入思考或寫作時會非常有用。

千萬不要只寫「好有趣」或「好感動」等簡單的讀後心得，你要具體撰寫自己的意見，自然能累積符合自身用途的內容。

時常注意應用知識的範圍，並留下紀錄，書中的文字就更容易成為自己的智慧，有效輸出其作用。

11

書本的局限性，反而造就思考能力

現在可以透過許多電視、網路新聞等數位媒體獲得資訊。但對我來說，最重要的依舊是紙本帶給我們的知識。因為文字印刷的訊息較能長久保留，所以基本上我不會丟掉書籍。

電視或網路的消息會瞬間消失，當然你能用錄影或列印的方式保留，但有其極限；你也能留下報紙上的消息，用來理解現狀相當有效。但書本的時間軸拉得比較長，而且內容經過系統化整理，加深思考的層面上，擁有報紙沒有的優點。

例如隨手翻閱一本書，並透過該書的目錄，就能一覽整體的樣貌。你也能往前、往後跳著看，同時進行確認（電子書做不到）。有些書經過一段時間重新拜讀，甚至會有全新的認識或發現，也能藉此深化自己的見解。而且可以擺好幾本書在桌上，一起比較資訊，這都是紙本書籍的優點。因為工作關係，我經常會用到紙本，所以像這樣，立刻翻到自己需要的頁面仔細參照，才可以達到工作的效果。

雖然電腦也能一次開四個視窗進行比較，但會受限於螢幕的大小。實體書則可以擺滿整張桌子，有時還能擺在地板上，不論空間大小都可以，因此要參考大量內容，並進行思考，我最推薦實體書，真的非常方便。

我自己的書桌很小，而且桌上亂七八糟，所以我會另外在一張大圓桌上，攤開各類書本工作，依照主題堆成書山或排列參考資料，工作起來相當舒適。若各位想仔細利用時間加深思考，建議使用以上方法。

此外，盡量參考多樣化的書籍，可以讓思考變得更豐富，所以我都不會輕易丟掉任何書籍。哪怕僅有一句話，只要該內容是我需要的資訊，都是很重要的作品。

每當我要查資料時，至少會買二十到三十本書，而且還會有人送書給我參考，如此一來，就會持續堆積手邊的書籍。於是，我的辦公室會四處追加好幾座書櫃，但書還是多到裝不下，最後只好把公司的某一間房間變成書庫使用。

這或許不是一種能向大眾推薦的讀書方法，但是能保存書籍，並不隨意丟棄。工作時，也能一次攤開好幾本書參閱，這就是我的風格。

12

閱讀要動手，才會印象深刻

我會在書上標記或摺書頁，皆是為了「主動」吸收知識。閱覽書籍不是被動式，主動學習才能累積智慧，成為自己的養分，今後在實現夢想的路上，才能幫上更多的忙。

不要只把書中的內容當作資訊或知識，草率看過，應該用自己的大腦過濾思考、想像或反應自身想法。如果因此能產生具體的行動，讀書在人生中就更加充滿意義。就算沒辦法立即行動，只要確實吸收書中的摘要，落實筆記，累積的知識也會呈現不一樣的效果。

話雖如此，突然要你閱讀書本的同時，用自己的大腦深思，你可能會不知所措，可以先**把自己當下的感想或想法，寫在書中或紙上**，慢慢培養這個技能。

正如前面不斷提到，你可以寫下自己的評論，能夠認同或反對的見解要畫○或╳，或是標記重點，也可以寫一些反駁的話語。這樣的反應，才可以讓你從單純的被動，轉換成主動的閱讀。

然後進一步把閱覽到的內容，帶入自己的生活中試著實行，這就能讓你的閱讀方式變得更加積極。

例如我的拙作《記憶的技術》中，提到睡前五分鐘增進記憶的方法。如果我們只是單純看過，就會覺得：「啊，原來是這樣，也有這種方式。」從此沒有下文。但也不要武斷批評：「只用睡前五分鐘，哪記得住東西！」你應該實際嘗試。

屆時覺得「果然做不到」也行，或是覺得「持續進行或許能記住，再試個兩、三天看看」也無妨。如果在自己的心中浮現這樣的對話和行動，就表示你透過書本主動學到了某個要點。當然就算沒能付諸行動，只有思考和反駁也無妨。不實踐、不思考推演、心不在焉的讀書，就如同看著景色從眼前溜過，只停留在完成式就結束了。

如何讓內容存留在自己的心中，成為實現夢想的食糧，為此應該注意書中的哪處？又該如何閱讀？不斷在腦中思考這一點，主動吸收養分，是一個很重要的閱讀技巧。

第三章

閱讀的竅門——什麼樣的內容，該怎麼讀？

1 無負擔的閱讀：吸收資訊，無助大腦

我平常會接觸一群，以通過司法考試等各種測驗為目標、努力學習的人。其中有一部分的人會認為自己「不擅長讀書」，他們的共通點就在於不太常看書。

以我觀察補習班的考生當中，會發現過去不太看書的人，要習慣閱讀得花上一段時間。也就是說，就算學習同一本教科書，他們仍需要耗費多一點的時間，去培養領悟和理解內容的能力，所以為了掌握此技能，最必要的仍然是大量閱讀。

我不建議你讀三十分鐘或一小時就能看完的輕量書，最好選擇會長時間閱覽的書籍。因為當你閱讀要花好幾天才能讀完的書本，比較能夠「訓練」大腦。

就算你非常仔細的看最近受歡迎的輕量書或作品等，其實那大都是在搭新幹線途中，就能讀完的簡單內容。利用這些書獲得資訊很方便，但想訓練大腦或思考能力到一定程度的話，就不太適合了。

我讀高中時，第一次翻閱日本著名思想家新渡戶稻造著作的《武士道》。對當時的我來說，這本書的內容相當艱澀，可是一旦我反覆挑戰好幾次後，終於能融入書中的涵義，並深受感動。透過武士絕對不拔刀的尊貴思想，我學到了武士道的極致就是和平。這股強烈的衝擊，從年輕時就一直銘刻在我心中。

由此可見，想從書中獲得收穫，有時增加「負擔」是必要的。

2 一本讀不快的書，思考能力成長很快

分別好幾天讀同一本書的好處，就在於能一邊回想昨天讀過的內容，並「聯結」今天看到的部分。換句話說，透過回想自己昨天讀到什麼，可以在腦中**訓練歸納的能力**。

隔一段時間重新開始閱讀，就必須動腦結合曾經中斷的部分，而這段過程即可鍛鍊大腦，加速進入書中的世界。稍微讓大腦受到負擔，能持續提升腦部運作的功能。像是耗費大量時間閱覽長篇小說、或艱澀厚重的經典，想必這能成為最佳磨練的工具，只要辛苦熬過，肯定會有美好的收穫等著你。

讀書就恰如鍛鍊肌肉，施加一二〇%的負擔後，便能大幅提高讀解力。這不只限於不擅長閱讀的人，我希望愛好看書的讀者也務必嘗試。試著集中精神讀一、兩個小時，卻只前進二十頁等費心勞力的書籍，必然會讓自己有所成長。

以愛好閱讀聞名的 LIFENET 生命保險公司創辦人出口治明，也曾在書中提到：「厚重的書大都含有深厚的內容，因為**沒內容的人不會想寫冗長的作品**。」花費時間辛苦閱讀，必定能發展某種潛力。

請相信這一點，試著挑戰具有負荷的書籍。

3

能快速閱讀，就能做好工作

「該如何閱讀才好呢？」考生經常會問我讀書的方式，這時我一定會給這三點建議：

1. 帶著「速度感」閱讀。
2. 看書時，一邊思考「也就是說……」。
3. 一邊「推理」結論，繼續研讀下去。

意識以上三點閱讀習慣，就算是不擅長文字的人，也會獲得顯著的讀解能力。實際上有許多考生忠實執行這三項原項，最後如願及格，考上理想目標。接下來我會針對這三點詳細說明。

首先是具備速度感閱讀。

加快速度的好處，在於能夠大量吸收知識。閱讀的次數越多，累積的智慧就會一同成長，而且快速閱覽會增加負擔、鍛鍊大腦，所以請試著限制時間，練習迅速閱讀。

進一步來說，這項功用能給予工作或生活不少幫助，因此我們的人生無論經歷多少大小事，都少不了看書。

假設你從事法律的實務工作，肯定會遇到許多必須快速閱覽大量資料的狀況，如果無法加快速度，想必工作會很吃力。一個人的頭腦聰不聰明或有無創意是其次，前提是**必須快速閱讀才能把工作做好**。

例如當法官即將宣判一項備受社會矚目的案件，這時律師就必須立刻理解判決內容，並向在法院前等待的支持者或媒體，舉起勝訴或不當判決等布條。有時還要在宣判結果的三十分鐘後，舉行記者會解說判決的重點，且表明評論。

如果是最高法院宣告的裁定，判決書也會變得冗長。因此，你必須在三十分鐘內讀通，並找出「這是至今判決中，不曾有過的法律解釋」或「這裡顯示本次的全新根據」等重點。若解說錯誤可就慘了，所以必須集中精神，快速翻閱判決書，理解其涵義。這段時間產生的緊張感，實在是非比尋常。

當然不是所有人都是法律專業人員，但不管任何工作或立場，快速閱讀都會成為你的最佳武器。

4 猜錯推理時，要懂得享受差距

針對掌握不了書中意義的人，一邊思考「也就是說……」、一邊閱讀是最佳訣竅。換句話說，**每當你讀到一個段落、章節，都要延伸思索該作者想表達的內容**，並持續閱讀。

因此就算是厚重艱澀的書籍，也能一一讀通。一旦習慣這種讀書方式後，就能輕鬆吸收文字效果。各位平常在**閱讀報紙、週刊雜誌或專欄文章時，可以一邊實踐「也就是說……」、一邊繼續閱讀**，像是：「也就是這個人想說……」、「到頭來他是想表達這家餐廳很好吃」或「他想傳達不推薦這裡」。

透過這項技能就可以有效做出結論，所以持續這種方式，最後肯定能領悟文字想傳達的力量。

我前面提到，書本是思考的素材，閱讀是為了加深自己的見解。不過要確實掌握作者想表達的涵義，我們才能感受「那是錯的」或「這裡應該是這樣」等，深化自己的思考能力，才可有效判斷。

意識「也就是說……」，確實理解內容，並仔細閱讀，可說是一種從正面進攻的讀書法。如果能在看書時延伸其意義，那下一個步驟就是透過推理導出結論。

不只是教科書或考試問題，報紙的社論或小說也一樣，**先看標題，再推測這篇文章想提出什麼主張**，且持續閱讀。另外，我也建議，當自己的推論和實際結果截然不同時，要懂得享受那種差距。為什麼？因為其他人不會照自己的預測行動，這能成為理解他人和自己不同的一種契機，例如「自己是這麼想，但別人是那樣想」等。

事先練習手邊的材料，探求自己對未來或對方的想法，這不只限於學習法律的應用上，一般工作或實際生活中也能派上用場。「會有人投稿這樣的文章，大概是因為背後隱藏某種需求」或「這封郵件真正的用意是什麼？」等，藉由這種方式能學會尊重對方。

閱讀時，像這樣思考「也就是說……」、一邊推理結果，不僅能在學習或工作上發揮作用，這也讓閱讀本身變得更加快樂。

5

沒時間讀，如何「大略看過」？

有時工作上，必須在短時間內，讀完好幾本書或文件資料。「明天會請您接受這個題目的採訪，我們已準備好相關書籍，請在明天之前讀完。」聽到工作人員這麼說，頓時會讓我不知所措，因此我必須用工作的空檔或移動時間，「一目十行」的快速閱讀。

為了快速且確實理解內容，我通常會把文章分成好幾個範圍，一次讀三到五行，利用這個方式進行「區塊閱讀」。當然，在毫無背景等全新領域的情況下，剛開始必須一行一行的仔細閱讀，所以區塊閱讀只限於已經具有某種程度的知識，或已經理解的範疇中。

如果是法律書籍，對我來說是很熟悉的領域，所以我會把書攤開斜放，一次閱讀兩頁。**沒有令人在意的關鍵詞就跳到下一頁，但如果有覺得奇怪的地方或是重點，我會一次讀完該內容周圍的三到五行**。

一行一行細讀的確會花費許多時間，也容易忘記其資訊。若快速的一次讀三到五行，訊息即使會有些模糊，但可以掌握概要。要說這是讀，不如說是看。

我們在看東西時，有分「細部」和「綱要」，讀書也能利用大致看過的方法。剛開始可能會不協調，但習慣之後，就能把三到五行當作一個區塊，並確實領悟其內容，這真是不可思議。

依書本而異，實行區塊閱讀，一本書大約三十分鐘內就能讀完。假設工作結束後，只剩三至四小時，利用此方法就能讀完五、六本書。

忙到沒時間看書的人，請務必嘗試區塊閱讀的技巧。速讀卻能記住內容，其效用一定會令你驚訝。

6

注意「但是」——那是作者的主張

看書必須意識速度時，若遇到換行次數比較多的書籍，我有時只會看上半部，一邊注意接續詞「但是」並往下解讀，因為這後面通常會聯結較重要的文章。

連接詞是用來互相結合兩個或兩個以上的詞、語或句，以顯示兩者關係的功用。「所以」、「因此」、「於是」等順接連接詞，會依據前文的原因或理由來描述結果。例如：「下雨了，所以我帶傘過去。」

另一方面，**「可是」**、**「但是」**、**「然而」等逆接連接詞**是表達與前文相反的結論，例如：「下雨了，但是我沒帶傘。」像這樣光看接續詞，就能大略推測後面銜接的內容。因為**逆接連接詞的後面，大都會出現作者的主張**。特別是換行過後的內容，大都會敘述重要的意見，所以一定要試著留意。

以齋藤孝教授寫的《讀書力》為例，試著尋找換行後用「但是」開頭的文章，仔細確認後就能發現，只有少數幾處出現此連接詞。因此僅要注意那些逆接的段落，就能明白這位作者的主張。

例如該書提到：「想讓年輕人閱讀書籍也是一種教育欲望，**『但是』**露骨的展現出自己的渴望，對方不見得會聽從。」他還說：「現代社會已經不會認真看待自我形成的問題，**『可是』**自我形成已成為一個無法避而不談的問題。」從這段話就能一目瞭然，作者希望透過閱讀促使成長的問題意識。

既然如此，看書時一邊檢視文章的上半部，同時留意逆接連接詞出現的位置，即可確實理解內容，這就是閱讀的訣竅。

最近不論新書（按：此處指日本為方便攜帶而生的開本，寬十．五公分、高十七．三公分，主要使用於非文學作品）或平裝書，很勤快換行的著作都變多了。若各位想帶著速度感翻閱，請確實執行以上我說明的方法。速度的快慢因人而異，但人們多少會有想速讀的時候，此時你就要並用前面介紹的區塊閱讀，加快吸收大量知識的效率。

7

書本不用從頭依序往下讀

你知道嗎？最近書籍下的標題都非常具體，有時只要看目錄幾乎能了解其內容，所以我習慣先把目次看過一遍，再進行後續動作。

假如有個章名是「現在加入自衛隊好處多多」，就能馬上明白這個作者是支持部署自衛隊等立場的人。把成排的標題讀過一次，對這本書留下大概的印象後，接著我會看「結語」。

當然因書而異，不過普遍的書籍會在前言提出問題，或是引導讀者閱讀這本書；而結語的部分，大都會表明作者的結論或主張。

總之，**先看目次**對整本書留下概念後，**再看結語**就能大致掌握整體結論或主張，**接著要看的是「作者簡介」**。也就是看作者的為人，了解寫出這本書的人擁有什麼背景。**如果以上三個部分看起來都很有趣，我會回到前言，**然後開始閱覽本文。

簡單來說，讀者要先看目次，再看結語，最後確認作者簡歷，這三項若能引起好奇或歡樂，再讀前言並進入本文，此為我個人閱讀的順序，推薦給大家了解。

此外，我在讀內文時，還會注意章節「最初」和「最後」的文章。特別是最後的章節，大都會編寫近似歸納的內容，所以我會特別仔細確認，避免漏看重要的部分。

8

利用「小標」，三十分鐘讀完一本書

內文之間，到處會有小標，這些就是書本的要約，所以我非常重視。因為透過小標，就可以知道「原來此段落要表達這樣的內容」。

例如，我讀日本知名記者布施祐仁著作的《經濟性徵兵制》時，看到「美國的徵兵制」這個小標，就能立刻知道接下來要討論關於美國的徵兵制度；看到「拯救經濟危機的新兵招募」，也能從標題推測其內容。換句話說，只看小標也能推測各種事物。

必須詳細理解內容時，就需要謹慎的閱覽本文，但如果只想知道這本書的概要，那跳讀小標就很足夠。

然後，當你有點在意該標題時，再仔細確認內文。例如我看到「類似拉皮條的街頭募集」等標題時，大致能想像其要說的內容，但這確實勾起我的好奇心，使我抱持疑問繼續閱讀此內容。善用這種方式，三十分鐘就能看完一部作品。若各位礙於時間的限制，無法仔細理解文字時，建議大家利用標題讀完一本書。

但是你必須注意，有些標題並不會呼應內文，那些聳動的文字，單純只為了吸引你的目光。所以不管任何書，大家記得最好先讀三、四個小標中的內容，確認標題確實歸納本文後，再做跳讀。下小標的規則或習慣會因書而異，請留意這一點。

9

注釋不是補充，會幫助你抓出根本內容

看書時，我也一定會留意「具體的例子」或「數字」。除此之外，我也會仔細確認「注釋」。作者獨有的實例、數字、具體名稱或場所，皆是該書的重點。更重要的是這些舉例或數字越不抽象，越能增加說服力。

向人說明理由時也一樣，舉出實例或數字就能使人認同，也比較容易傳達。我自己寫文章時，也會盡力加入具體例證或數字，這能成為根據，讓結論使人心服。

有些書籍則會添加許多注釋，特別是學術書籍。

一般人認為書中的注釋是「附加」的內容。但其實這大都是根本且重要的說明。注釋更能加深理解知識，這在專業書籍中特別常見。或許有人會覺得它很礙眼、麻煩，下意識省略不讀，但其實它會使你得到更具體的印象，或擴充解釋。

從作者的角度來看，便可清楚了解這一點。寫書時，針對一個詞彙會想更深入的解說，但這麼做會讓整體文章變得鬆散或拖泥帶水，因此這時會加以注明表達其意義。

為什麼會在這裡**加注釋？這是因為無論如何，作者都有想這麼做的想法或理由**，今後也請各位讀者務必要理解這一點。

總之，請連同本文一起閱讀注釋會比較好。這樣才能細心追尋作者的思考過程或脈絡。它絕對不是補充，寫的其實是根本性的內容，請明白這一點，並試著留心閱讀。

10 第二次的旅行總能弄清楚目的地

日本經濟學者兼教育家的小泉信三建議，同一本書要讀兩到三次。他的著作《讀書論》中提到：「不論艱澀和容易，同一本書應該再三閱讀。」理由在於，只讀一次不會懂整體的關係。**讀兩、三次後，才會明白作者真正要傳達的思想或各章節的重要性**。

西方有句格言：「重複是學習之母。」（Repetito est mater studiorum）因為重複參考同一本書好幾次，可以磨練自己的想法或思索方式。就算我經常只挑已標記重點的段落閱讀，我也會一次又一次重新研究該摘要，這樣就會有「原來如此，這裡和那裡有關係」等新的發現或感動。

嚴格來說，第一次閱讀，只不過是連續不斷的認識全新的事物；單方向的閱覽，就像購買單程票抵達某個目的地。但當你再次重頭閱讀時，你會發覺「這裡有伏筆！」等，看見目前與後面文章的關聯性。

也就是說，這能釐清前後的關係、一貫性、整體樣貌或體系，更理解作者想表達的核心。就好比第二次的旅行，會更清楚目的地周圍的風景或樣貌，能比第一次更加享受旅程。因此，一旦你進一步讀到第三次後，就可以反映自己的觀念或思想，更加吸收內容。

我個人也習慣重要的書，一定會讀第二次、第三次，因為每一次都會有新的發現和感動。如果感覺自己跟閱讀前判若兩人，那肯定是書本的力量正在使你成長。

如果只是純粹吸收資訊，那讀一次就夠了。但若又想讓自己發展潛力，重要的書應該讀第二次、第三次。即便是昨天剛看完的書，再讀一次也能找到一塊新大陸。卓越的著作不管讀幾次，都能有全新的領悟。

這使我想到，我有一個朋友習慣一部電影會看五次。他認為每次觀看都會有不同的發現，所以樂此不疲。讀書也一樣，反覆參考同一本教科書，可以增強自己不擅長的技能，讓人累積自信。當你察覺不曾造訪的領域時，也會增加樂趣或興致。

記住，重要的書不管讀幾次，都會有收穫。

11 知性有兩種類型，快慢皆好

實體書的好處，在於可以擁有思考的時間。

電視或廣播的資訊瞬間就會消失。如果是書本就能一直留在身邊，閱覽文章的同時，可以往前、往後隨興翻閱，或是可以一次擺出好幾本書仔細思考。像這樣具有一份「踏實感」在延伸見解方面，非常重要。

閱讀就像開車打D檔一樣慢速前進。大家普遍認為能夠臨機應變、靈活運轉腦筋的是聰明人；但我覺得能夠仔細、深入，且慢慢往下挖掘知識的人，才能吸收更豐富的營養。

我尊敬的升永英俊律師，也是打D檔思考的類型，他擁有天才般的靈活頭腦和記憶力。不過，他卻常說：「我要一個字、一個字仔細的讀，才會記得住。」而且真的讀得很緩慢、仔細又確實。

例如，當我為了趕上記者會拚命研究判決書時，他依舊在旁邊看得很從容不迫。對升永律師來說，為了仔細的理解文字，即使延後記者會的時間或如何都無所謂。他覺得，若記者因為延期就離開，那是他們本身的問題，重要的是這場官司的判決內容，和自己對此的見解。

我會速讀是為了趕上記者會的時間，升永律師則是在意某種本質，所以要慢慢了解裁定結果，兩者在目的意識和終點的設定上有所不同，讓我領悟到大人物果然不同凡響。確實頭腦的好壞或是否能幹，跟閱讀文章的速度並非成正比。

所以讀書的速度也一樣，只要能依狀況，配合自己的需求閱讀就好。當自己受到情勢所逼，必須敏捷閱讀的情況下，就帶著速度感看書，這是可以事先訓練的。

這麼一想，知性或許有兩種類型。一種是能精明且快速處理事物，另一種則是能堅持且持續深入思考，或是聯結不同事物創造出全新事物。並不是說哪一種比較好，只是性質不同。

閱讀大量書籍也能鍛鍊後者，也就是打D檔深入挖掘的知性。因此，人最適合藉由書本加深自我思考，深入發掘智慧。

12
閱讀多樣化，便不會自討苦吃

我認為所有學習的基礎在於書本。

追根究柢來說，要是少了閱讀的文化，人類不會如此進步。回顧過去，學習就是讀書。例如日本江戶時期的私塾或公立學校，教學中心就是閱讀中國經典；歐洲的貴族子弟通常不會去學校，而是聘請家庭教師精進學能。

人類是不同的個體，每個人需求也不一樣。吸收自己需要和追求的知識，才是真正的教育和學習。正因如此，我想大聲訴說閱讀的重要性。

日本作家村上春樹從小就喜歡讀書，他在《身為職業小說家》一書中提到，他的父母從來不會要求他準備考試，也不會禁止他看閒書。

不是只有學校成績好，才是用功讀書，我希望各位也能重視看書這種教育。我常認為優秀的人才，是指擁有「多元觀點」的人。

深入挖掘和深化自身見解的同時，還能站在複合性的視角上，進行比較。換句話說，就是理解他人有不同見解，認為自身的想法不過是眾多想法的其中一種，能像這樣進行客觀思考，才是傑出的人。

若光是單純深化自己的思考，可能會掉入自以為是的陷阱裡。但透過書本接觸各個時代、地區、各種人群、多樣性的思考或生活方式，就能跟自己的閱歷做比較，同時加深見解，自我成長。

就算別人持有的意見和自己不同，也不要否定或瞧不起他們。因為一個人能擁有多樣性的想法，才稱得上優秀的人才。要讓自己培養複合觀點，具備多元化，最有效的方法就是大量閱讀。

書本正是思考的素材，我認為沒有比此更豐富、便宜、方便和充滿多樣性的工具了。

第四章

當你沒時間讀，不知讀哪本、或讀不下時……

1 站著閱讀，提高集中力

我希望大家能意識到閱讀的重要，不停活用書本。為了讓大家更享受閱讀，這個章節會介紹我自己正在實行的一些巧思。

首先，我想建議累積一堆書還沒看的人、或忙到沒時間閱讀的人，可以站著翻閱。我常在公司站著看書，這是因為我的房間堆積許多買了很久，卻一直放著不管，想說未來一定有時間看的書。

我白天會外出拜訪客戶，幾乎沒空回公司。直到晚上回來後，我才會第一眼看到買了還沒讀的書山。

看到那座書山，我會不自覺的站在原地，隨手翻閱其中一本書。明明有自己的書桌和椅子，但我仍然會刻意站著閱讀。因為站立會使大腦比較清楚，能夠在短時間內集中精神，參考資訊。因為沒人能確保自己擁有充分的閱讀時間，一旦每天都很忙，就必須善用幾分鐘的空閒時光吸收知識。

即使剩下十分鐘必須出門時，我也會在公司一邊走動、一邊把握這段時間，快速把書看完；我也不想浪費等電車的時間，所以我會跑到車站內的書店，買一本眼前看到的書，直接在月臺上翻閱，或是在電車內抓著吊環，敏捷的閱讀書籍。由此可見，時間越有限，反而越會提高集中力。

像這樣，一旦習慣在外頭站著讀書，回到自己的房間，當然也會下意識站著看書。

回顧過去，我在準備司法考試的期間，也常一邊站著或走動、一邊參閱講義。因為沒有足夠的學習時間，我甚至會在出門的路上邊走邊看書。若換到現在，或許會跟邊走邊用手機的人一樣，遭到陌生人的好心警告。

這麼做確實很危險，我也不太敢大聲的向人推薦。不過想集中精神閱讀時，我還是建議大家可以試試以上介紹的方法。

2

盡情吐嘈作者，就能獲得樂趣

不喜歡閱讀的人，通常會有「看書好難」或「閱讀等於學習」等，先入為主的觀念。不過各位只要把閱讀當成看電影或聽音樂一樣，輕鬆對待就好。

就像看電影、聽音樂會稍微受到打動一樣，只要書籍能讓內心產生某種感受就好。像是「好厲害」、「好可怕」或「咦？有這種事嗎？」僅要引起某種感觸就足夠。

所謂的成長，就是今天能比昨天的自己多一點改變，變得比之前更溫柔、更能理解痛苦，這就是出色的自我進步。

書本跟電影或音樂一樣，只要輕鬆享受，自然體會一些事物，即可加速成長。看書不是為了變聰明或課業進步，這之間的差距在於電影是用影像、音樂是用聲音訴說，而書本則是文字。

如果閱讀能像聲音或影像一樣，完全沉浸在語言的世界倒是無妨；但如果是無法融入文字，或是對此多少有抵抗感的人，請試著跟作者對話。就像作者在你眼前，自然聊天就好。那該如何跟作者溝通？就是「單口相聲」。

閱讀的同時，你可以不停反駁內容：「這是真的嗎？」、「不可能會有那種事」、「我不這麼認為」、「為什麼這個人要做這種事？」等。本書第二章也提到，閱讀就像在跟作者對話一樣。

就算單方面駁斥對方（書本），它不會有任何反應，但這樣下定論太貿然了。因為當你繼續閱讀到後面時，你會發現那本書確實回應你的辯駁，為你解答。

一本好書肯定會用某種方式回答讀者的疑問。

當然你也能直接寫信給作者，或是參加他的演講，積極發問，但光靠「單口相聲」，一樣能充分享受對話，領悟真理。而且書本的魅力，在於能跨越古今中外、國境和民族，跟各式各樣的作者進行交流。

假如想跟古代羅馬人進行真實的對話，就必須準備時光機，而且還要會說拉丁語才能溝通。但古羅馬作品普遍皆已翻譯國字出版，因此請不停的向蘇格拉底（Socrates）、尼采（Friedrich Nietzscle）或莎士比亞（Willian Shakespeare）等世界級的偉人們吐嘈，這樣的讀書方式，一定能讓你感到快樂，並自由享受書本獨有的妙趣。

3 閱讀不必設定完成期限，想看就看

或許，現代人出門一定會記得帶手機，卻不一定會帶書。反之，我卻習慣隨身帶書外出。特別是出差，必須長時間的移動，我若不事先塞幾本書籍在背包裡，會靜不下來。即便等電車或短程移動的空檔時間，我也一定會撥空閱讀。

例如，我任教的伊藤塾澀谷分校，旁邊是澀谷車站，我從該站到品川車站，只要短短的十分鐘。但這十分鐘，我就能讀不少數量的書籍。因此就算是這麼短的時間，我也一定會在電車內閱讀。

沒有帶書習慣的人，可以試著把書放在玄關。而且不只一本，準備好幾種類型的作品，可以讓自己配合當天的心情選書。真正喜歡看書的人，必定會把讀到一半的書放在玄關、床邊或客廳等各種地方。

或許會有人覺得，把書放在玄關根本不重要。不過，把書放在看得見或容易拿取的地方，就會逐漸改變習慣。為了消除內心的抵抗感，自身能做到什麼的巧思很重要。

我通常會同時讀四、五本書，所以當我外出時，通常不只攜帶一本，而是好幾本書籍。我不會一次看完一部作品，再看下一本，而是依照當時的心情，讀一下這本書，再讀一下那本書。為了讓自己隨時閱讀，我在背包上也下了工夫。我會刻意選有外袋設計的手提包，讓自己隨時都能翻閱，以及省去專程打開背包取書的麻煩。

姑且不論工作上必須參考完整書籍的狀況，反正沒人規定一定要一口氣讀完全部的文字。讀者可以在喜歡的地方，用舒服的方式，讀自己有興趣的書。懷著這種輕鬆的心情，看待閱讀不是很好嗎？

總之，就算是零碎的時間也要拿來閱讀，而不是滑手機，養成這種習慣很重要。

4

這般享受，逛書店的樂趣

「你都在哪裡買書呢？」偶爾會有人這樣問我。

我很常利用網路書店，也會去街上的大型書店或車站內的商店購買。

當我想學習某個領域時，我會先在網站上搜尋，一次買好幾本相同主題的書。正如前述，有時我會一次買二十到三十本。

不僅如此，當我在外等電車或準備演講的空檔時，也會去書店。就算沒有指定的目標也一樣，我喜歡在書店閒晃，四處看看最近有什麼新的作品或其他有趣的書，同時享受那段時光與空間。

我通常在書店會先看暢銷書或商業書籍的部分，瀏覽一遍過後，會去文庫（按：此為日本書籍常用開本，寬十・五公分、高十四・八公分）或新書區域。特別是新書區每個月都會出好幾本新的著作，光看封面或封底都令人愉快。我還會大略掃過法律或憲法的書區，也就是自己的專業領域。

如果有多餘的時間，我會去看非專業領域的育兒或料理等實用書區，也會翻閱宇宙和生命科學、鐵道相關書籍，甚至是看介紹飛機或船隻的作品。只要是我感興趣或關心的話題，我會當場衝動購買。

但是攝影集等厚重書籍會增加行李重量，因此我通常會抄下書名，立刻在網路書店訂購，等宅配送來。

總之，就算只有幾分鐘，我一樣會勤快的往書店跑。我喜歡被書本圍繞，就像喜歡衣服的人會去服裝店一樣，僅是在充滿書籍的環境下，就會逐漸漸對書本產生興趣。

隨身攜帶書籍，是喜歡閱讀最確實的方法。

5 在哪兒讀？什麼姿勢？

閱讀時的姿勢也能有很多變化。

你可以挺直腰桿，也能躺在床上慵懶的看書。姿勢的不同也是享受閱讀的方式之一。

想跟作者認真對決時，可以抬頭挺胸的看書（不用到跪坐的地步）。一方面，你也能在身邊擺一杯咖啡，深坐在沙發上悠閒的閱讀。依書本的類型而異，試著改變自己的閱讀風格也很愉快，不是嗎？例如刻意到飯店的貴賓室或咖啡店當文青，翻閱書籍也是一種方式。

週六上午可以搭配早午餐或一杯咖啡等，試著空出一個小時的空檔，進入書中的世界。這就是特別的時間，讀者們可以試著演出心靈富裕的自己，並稍微陶醉一下，認為這種行為很「了不起」。的確要說這是邪魔歪道沒有錯，不過這能滿足自己、感受幸福，是一種讀書的理想樣貌。

在日本，你可以到東京代官山的蔦屋書店等稍微特別的場所，也可以去自己喜歡的咖啡廳；換上有朝氣的外出服，度過一段特別的讀書時光，享受幸福的片刻。

有些書籍的內容比較生硬，需要仔細和作者對話，所以要帶著緊張感閱讀，但不是所有的作品都這樣。閱讀不是只有繃緊神經，你可以擁有各種的看書風格。

重要的是，如何把閱讀時光變成日常生活的一部分。若能把讀書定位成一種特別的事物，詮釋成重要且快樂的時光之一，那自身也會更加滿足這段時間。

6 打開自己專屬的儀式，天天都是讀書天

我建議讀書時，要有一個自己專屬的「儀式」。

我規定伊藤塾的考生在上課前要關掉手機電源，這就是切換內心開關的方法之一。還有人會在學習前洗臉，或是正坐在書桌前等。

各位在閱讀時，可以事先訂立原則。例如規定自己在通往公司或學校的電車上，可以用手機看新聞或檢查郵件，但在返家的電車上一定要看書。抑或是約束自己在睡前三十分鐘關閉手機，利用時間閱讀等。

我的儀式是播放巴洛克音樂等寧靜樂曲，這樣的背景音樂會讓我打開閱

讀的機關。在鴉雀無聲的環境中，我反而靜不下心。我認識的朋友當中，也有人認為在電車上看書比較容易吸收，據說街上的喧囂雜音，反而會增進他的閱讀效果。

每個人都有不同的需求，請務必找到屬於自己的模式。

7 斬斷社交時間，培養思考力

你要特別意識閱讀時間，才能擬定充分的計畫。因為人往往會因為公事或雜事，忙得不可開交。光是看新聞報導、社群網站或玩遊戲，一轉眼，時光飛逝。

看看周圍，感覺現代人被手機占走太多時間，讓我不禁覺得如果把這拿來學習，到底又能創造多少時間？

很多人為了通過司法考試，會早起一小時，到了晚上會比平常更早回家看書，或把交際的時間拿來學習，但現在不一樣了。相反的，把學習的時間拿來滑手機的人，一直在增加。

當你看手機的時間化零為整，就有更多時間做有意義的事。這麼說或許嚴厲，但如果你有想實現的目標、夢想，那就必須狠下心來，斬斷多餘的壞習慣。

回頭想想，其實推特或臉書剛問世時，我也一直用手機頻繁發文，或是逐一回覆留言。因為對方專程向我表達想法，若不答覆他，我會感到抱歉。而且開始上社群網站後，閱讀的時間不斷減少，甚至在我工作結束後，也會一直黏在電腦桌前好幾個小時。

後來我才警覺，與其忙著社交，不如自己動腦思考或閱讀比較有意義，所以現在我已經不再使用推特或臉書。

如果是能巧妙運用社群網站的人倒是無妨，但像我這樣很難兩者兼顧的人，就必須當機立斷。

為了實現夢想，要確實空出自己的時間踏實前進？還是優先享受眼前的人際關係或欲望？下決定的只有你自己。

8

加入讀書會，碰撞新滋味

書本有趣的地方在於，感受內文的方式會因讀者而異，所以試著參考其他人的想法也是一種有趣的嘗試。理解與自己不同的角度或觀點，世界會變得更寬廣，進而自我成長。

感受會因自身的經驗、價值觀或平常關心的事物而異。這份差異沒有好壞之分，就算他人的看法與自己不同，也不需要認定自己的見解太過膚淺，而感到自卑。

不如說，因為互相碰撞各種感想，才能讓雙方產生新的刺激，使大家共同成長。這就是舉辦讀書會的意義，所以我很推薦大家藉由這項活動交流意見。但如果你覺得專程召開讀書會很麻煩，其實你也能向朋友簡單推薦自己讀過的書，聆聽對方的感想，即可達到相同效果。

但請各位要稍微留意，不要因為自己覺得有趣，而對方表示無聊，就感到失望。特別是親子、或公司主管和部屬等上下關係，地位高的人偶爾會用「你不懂這本書有趣的地方嗎？」或「你完全不懂」……高高在上的態度，把感想強加在對方身上。切記！這萬萬不行。

與其這樣，不如抱著「原來你是這樣的感受」，或「我們的觀點不一樣，可是好有趣」等心態，享受不同的理解方式，進一步加深彼此的交流，這是非常重要的觀念。

此外，有時會看到很尖銳分析的書評，那可能是專家精思熟讀後，發表的見解，理所當然跟自己的感想不同。當你發現有人表示不一樣的感想或意見時，請不要過度消極。反而要自然且普通的面對他們，大家各有不同的觀點會比較有趣。

閱讀就是加深人際關係的有效工具。分享各自的見解、深度交流，也會使你的社交能力變得更好。讀書所建構的人際關係之一，就是讀者和自身的對話，也就是透過作者的觀點直接影響自己，深沉的理解產生縱向關係。

另一種則是和周圍的人對話，彼此闡述感想，可以強化和他人的橫向關係。「原來這個人有這樣的見解。」透過全新的發現，能讓雙方的關聯性更勝以往。

甚至，也能和自己對話：「原來這樣的故事會讓我感動」，或「原來我對這種文化感到興趣」等，透過閱讀去感受或思考，藉此打動內心，更加認識自己。

像這樣透過書本可以引起許多回響，還能更多元的理解他人，人際關係也會變得更加富裕。

9

剛柔並濟，軟硬兼施

透過和工作或學習相關的書籍，尋找思考素材來獲得資訊，這樣與其稱為閱讀，不如說是「探索」。

另一方面，為了休閒娛樂或興趣，翻閱自己喜歡的海洋小說、推理或歷史小說等，特別是描寫帆船時代的故事，會讓我興奮。甚至每當我閱讀英國的海洋小說時，更會徹底沉浸在書中的世界，著迷的埋頭探索。

這種能放鬆心情或放空的書籍，最適合逃避現實。因為過度思考會使大腦過熱，甚而摧毀自己，所以這時藉由娛樂書籍，進入一個完全不同的世界，即可達到休息的效果，又能恢復自我，療癒消耗殆盡的大腦或心靈。

前面提到，閱讀是一種串聯他人想法和自己的作業，但有時也必須紓解大腦，別讓他人的思想過度影響自己，胡思亂想。看書要結合思考素材，也要娛樂自己，這能使你沉浸在夢境中，踏實推動真正的夢想。

話說回來，僅花費一千日圓（約新臺幣三百元）左右購買一本書，就能讓人體驗各種事物，這真是世上最美好的事。與其浪費一千日圓在莫名其妙的活動上，不如買一本能實現夢想的書，充實自我。我相信各位讀者，一定能察覺這兩者之間巨大的差異。

10 有體力才有腦力

這篇或許有一點離題，但我想寫一些關於閱讀和體力之間的關係。你可能會覺得這兩者毫無關聯，然而我認為要持之以恆的閱讀，最需要的是鍛鍊身體。

我聽說一整天都坐在電腦桌前工作的人之中，有很多人習慣跑馬拉松或上健身房活動筋骨。由此可見，人們為了持續工作或學習，必須動腦或鍛鍊心靈，所以基礎體力最不可或缺。

最新的腦科學研究發現，大腦、心靈和身體尚未有明確的界線。有強健的肉體，大腦才會活潑運作，也能維持強韌的精神。正因如此，想要藉由大量的書籍吸取資訊，最重要的是體力。

從事腦力工作的人，常會忘記身體健康的重要性。難以啟齒的是，我也曾一度覺得運動會傷膝蓋，但最近我驚覺不運動不行。

我平常會在伊藤塾講課，也會外出演講，或以律師的身分出庭。不管身體有多麼疲憊，唯獨不會缺席授課。一堂課是三小時，每天會上兩堂課，甚至三堂，一共會花九個小時，我在這段時間內必須站立，並用肚子發聲，持續腹式呼吸，最後總是筋疲力盡。幸運的是這個行為，不知不覺鍛鍊我的體力，所以我才能在伊藤塾連續教書二十年以上。

總而言之，實現夢想或目標時，最要緊的是擁有健壯的身體。為了在逆境或批評中，貫徹不服輸的堅強意志，記得鍛鍊基礎體力，不要怠慢。

11 有自己的一番見解，怎麼讀是你的自由

從結論來說，其實只要照自己的方式理解書本就好，因為閱讀沒有正確答案。小林秀雄介紹過這樣的趣事：某次他的女兒拿著國語考卷，對著他說：「我完全看不懂這篇文章。」讀過一次後，他發現文章確實很拙劣，於是小林秀雄告訴他的女兒：「妳只要在考卷上回答：『這種東西我看不懂』就好。」但這篇文章正是摘自他本人的作品。

他在《關於閱讀》中提到：「我寫作長達三十年，所以發表過各種著作。但當我越想寫好文章，腦袋就越不自由，我的經驗不容分說的表達這一

點。」無法自由掌控自己的作品。換句話說，閱讀會因為讀者的理解方式，出現完全不同的領會。

不管是閱讀小說、哲學書或商業書籍，**每位讀者都有各自的一套見解**。**作者無法強制讀者要這樣讀，或那樣感受**。因為書本光是完稿還不算完整大功告成，將書本送到讀者手邊，透過他們的解讀，才能獲得圓滿的成果。

作者傳遞的資訊，讀者要如何理解和解釋？理解方式會因人而異，不一樣很正常，沒有規定哪種正確或錯誤，各位可以自由想像和解釋作者想傳達的核心。書籍的出版是以受到讀者閱讀為前提，所以把書拿在手上的人，只要照自己的方式閱覽就好。

光是丟球沒有意義，要有接球的人才能完成一系列的動作。讀者可說是協助作者完成著作和自我實現的存在。帶著這樣的意識閱讀，就能和作家站在同等的立場，觸及作品並產生樂趣。記住，最後完成這個作品的是讀者，所以**要怎麼閱讀都行**，你可以盡情感受。這麼一想，閱讀的門檻就會降低許多，想法也會更加自由。

只要跟隨自己的經驗或思想，理解內文就好，就算感想和書評、或外界的評論不同，也完全不用在意。

小林秀雄在《關於閱讀》中寫到：「要理解文章的魅力，任何人都只能依靠本身內心的感受。」也就是說，只要憑自己的感覺自由閱讀就好。不管別人說什麼，自己愛怎麼吸收、解釋都行。

第五章

沒有誰能埋沒你——書是試金石

1 書是生命的解藥，去書店走走吧

每個人在生命中，多少會經歷碰壁、挫折或跌到谷底等體驗。此時，成為力量支撐自己的，不是淺薄空泛的社群網站，而是書本或更深化的人際關係等，最接近人類本質之物。

回顧過去，讓我重拾希望的最大力量，正是各式各樣的書籍。

有一陣子我站在人生的岔路上，心中苦惱不堪。這時出現在我眼前的是《三國志》。透過這本書，我能夠埋首在另一個世界，也能忘記痛苦的事情，像這樣接觸雄偉的人生連續劇，也讓我變得更客觀。

奧地利神經學家維克多・弗蘭克（Viktor Emil Frankl）所著的《活出意義來》（*Men's Search For Meaning*），及俄國小說家列夫・托爾斯泰（Leo Nikolayevich Tolstoy）的《戰爭與和平》（*War and Peace*）這兩本書，也給我很大的力量。這些著作能鼓舞自己：「現在不是為了這種小事煩惱的時候，在絕望的深淵中，才能考驗人類真正的價值。」

閱讀曾在人生的各種局面，拯救、扶持了我。正是因為書本的支撐，使我跨越難關。

人類很難理解沒經驗過的事情，但書本會提供幫助。如果因為閱讀獲得知識，或感到幸福，自然就會更愛看書，產生正面的連鎖循環。至今累積的智慧讓你得到多少好處，這和你有無閱讀習慣有關。

一本書會改變一個人的人生。世界上也有原本打算自殺，卻藉由閱讀止住念頭的人。甚至還有醫學證據指出，愛閱讀的人比較少得憂鬱症。我也相信各位，多少都曾有藉由書本獲救或改觀的經驗。

因此，我強烈希望大家透過閱讀改變自己，體驗幸福的滋味。

2

當下不認同的想法，日後總能啟發我心

即便是同一部作品，也會因為閱讀的年齡或當時的煩惱、經驗或知識，而有不同的領會。依時機而異，同一本書會產生完全不一樣的意義。

我第一次閱讀古希臘哲學家柏拉圖（Plato）的《蘇格拉底的申辯》（*Apology of Socrates*），是我就讀高中的時期。其中有一課堂必須選擇一位哲學家發表演講，而我介紹的就是古希臘哲學家蘇格拉底。為何我會選他？其契機可追溯到我國二從父親的外派地德國，獨自返回日本的時候。

我原本打算在回國途中，順路到雅典的奧林匹亞遺跡觀光，結果不小心搭錯公車，抵達德爾菲遺跡。這裡正是指出蘇格拉底是全雅典最聰明的人的場所，也就是世界聞名的德爾菲神殿（按：祭祀太陽神阿波羅）。

因為我在無意中，有緣造訪此地，所以我在倫理與社會課上，很自然選擇蘇格拉底作為報告主題。話雖如此，當時對還是高中生的我來說，《蘇格拉底的申辯》沒有造成太大的感動。

蘇格拉底遭人嫁禍而身陷牢獄之災，最後卻堅持惡法亦法，選擇遵從審判的結果，最後服毒身亡。我當時無法認同這樣的生活方式，甚至覺得雅典市民居然會判這位偉大的哲學家死刑，實在是太蠢了。

之後，我在準備司法考試的期間，蘇格拉底的無知之知（相較於自以為知道的人，自覺無知的人比較聰明），才徹底打動我的內心。而我第一次因為考試落榜，感到沮喪時，碰巧翻閱到蘇格拉底對死後世界的看法，頓時靈光一閃，察覺原來考試只會出兩種問題，就是考驗自己知道、和不知道的知識。這對我來說是一大發現。

只要腳踏實地的學會我還不知道的法律知識，累積一定程度，就能確實合格，這簡單的原理使我順利通過司法考試，也是我日後指導學生應考時的核心思維。

3 考好不是讀書的目標，別以考試決定人生

之後，我一有機會就會拿起《蘇格拉底的申辯》反覆閱讀。隨著年紀增長，蘇格拉底曾說：「死亡是一種幸福。」這句話，更讓我感到共鳴。

蘇格拉底認為，如果死亡能讓自己完全消失，就能從煩惱或思考中得到解放，對現在而言，已經沒有比這更幸福的事情。反之，如果有死後的世界，就能在那裡，和已經逝世的古希臘詩人赫西俄德（Hesiod）或荷馬（Homer）等自由議論，所以這也是一種快樂。

換句話說，死亡沒有絲毫的不幸。他闡述了「生死等價」的真理。

我注意到這一點後便能理解，無論考試有沒有合格，成功或失敗，到頭來都能幸福且生命等價。就算通過考試也未必會幸福，而不及格也不一定會不幸。不論合格與否都不用擔心，因為決定未來的是你自己。

所以當我開始指導考生後，我能藉由實際感受，大聲的告訴他們：「不論成功與否，人類的價值皆相等。」

4

重讀一本書——書是一面鏡子，反映你的狀態

我今年即將六十歲，到了這個年紀，身邊的親人會逐漸離開這個世界，自己也會意識生命的存亡。這使我想起，最後蘇格拉底在法庭上被宣判死刑時，他所留下的一段話：

「分手的時候到了，我去死，你們去活，誰的去路好，唯有神知道。」

也就是說，因為人類的生命是同等價值，所以不用害怕死亡。擔心自己可能馬上會沒命，或欣喜自己還活在這世上都沒有意義。只要拚命活在當下，不論生死都可以感到幸福。我一直到了這個年紀，才從《蘇格拉底的申辯》中理解到這個真理。

就像這樣，在人生中反覆閱讀同一本書，你的感受會依當時的狀況，逐漸改變。就算是相同的作品，也會依閱讀者的成長程度、當時的問題意識或懷抱的課題，使人產生完全不同的領悟。

書本正是自己的鏡子，它能觀看鏡面上的自我。換句話說，透過書本獲得的感受或領會，能反映出自己目前的狀態。

書本會配合讀者的年齡或成長，使人改變讀解方式。書籍會在什麼時機使我們吸收怎麼樣的知識，因人而異。現在沒有看書的習慣也不用慌張，或許是閱讀的時機還沒到而已。

隨著內心的成長，我們能夠培養獨立的思考方式、創新的價值觀，或慢慢製造自己的一把尺後，便能領悟書中的涵義，發現也會有所不同，讓心態逐漸產生變化。

5 看到一篇好文章就足以改變人的一生

現在我的手邊有一本詩集，那是曾在第二次世界大戰，被日本政府派往中國作戰的陸軍二等兵渡部良三寫的《詩集：微小的抵抗》。由於這本書介紹的內容過於強烈，不忍閱讀的讀者可以跳過這一篇，但我不得不說，它的內容真的非常撼動人心。

我是在日本論壇雜誌《世界》讀到，日本大學研究所蟻川恒正教授的論文〈個人尊嚴與第九條〉，才知道有這本詩集的存在。讀了這篇論文後，我無法抑制自己的淚水。

這本詩集的作者在戰後成為國家公務員，他退休年過古稀後，才決定出版這個作品。詩集記錄了他本人在新兵時代的訓練中，實際遭遇最悽慘的經驗，那就是虐殺戰俘。

「不知道訓練要殺人，傳聞似乎是真的。」

一九四四年的春天，渡邊先生所屬的部隊實施了這項訓練。新兵們不是站在遠處射殺對方，而是依序拿著短刀，近距離刺入一個活人體內，殺死一個生命。

所有同袍都遵從長官的命令，依序刺殺戰俘。終於輪到渡邊先生——然而他是一名虔誠的基督教徒。

躊躇的他聽見上天傳來的聲音：

「我聽見偉大之人宏亮的教誨：『拒絕虐殺，賭上性命。』」

渡邊先生當下拒絕殺人。我想各位讀者都能簡單想像後續的發展，違背上級命令的他受到極為嚴厲的制裁。但令渡邊先生感到痛苦的，不是肉體上的疼痛，而是「為何當時除了抗命之外，我沒有站到被綁在樹上的戰俘前，說服教官或同袍不能虐殺？」這使他終生感到後悔。

按照當時的狀況，光是新兵拒絕上級的命令，就已經是奇蹟般的行為，若要擋在戰俘面前，說服眾人不能殺害生命，根本是不可能的事。但渡邊先生仍舊為此感到痛苦。

戰爭就是殘殺生命的現場，在那支配人心的是「與其被殺，不如殺人」的課題。所以人類必須毫不猶豫的殺人，即使身心都會遭受殘忍的破壞，這就是戰場。這本詩集描述的是無法想像的慘烈情況，跟當時殘留下來的後悔。作者在戰後也推崇人類該有的良心，自然打動了我。

閱讀渡邊先生創作的每一首詩，我總是不禁想問：「他是抱著什麼樣的心情寫下這首詩？」每當想像那份痛苦，我就說不出話來，所以我更加確信人類絕對不能主動引發戰爭。

之後，我徵求蟻川教授和出版社的同意，影印這篇論文發給所有的考生。恰好這群學生和當時渡邊先生接受徵兵的年紀相仿，因此我盼望他們能理解作者的想法，在這世界上增加心繫和平的人。

書本有撼動靈魂的力量，也有向眾人傳達意念的魔力。我相信只要一本書、短短一篇文章，都有能力建構出美好的未來。

6 喜怒哀樂要感受而非掩飾，才是成長

人類只能透過別人理解自己，他人是自己的明鏡，人類少了這面鏡子，就無法理解自己的存在。閱讀這件事，正是透過作者這個陌生人，也就是透過鏡子理解自我。

藉由作者的生活態度、價值觀或見解，領會某件事情或是思考。憑藉自己是這樣理解或感受，才能更加認識自我。那和閱讀前，也就是和作者相遇之前的自己是截然不同的。你會變得更溫柔，或思慮變得更加深入，抑或能

感受事物的艱苦之處。透過書本和作者相逢，自己就會自然成長；理性、知性或情感，也會變得更加豐富。

閱讀書本感受某種情緒，就算是痛苦或悲傷、或是「看完之後反而更不懂」等不可理解的心情，這也表示自己確實受到外界刺激，產生某種心態，固然能提升自我發展。

人生在世，有時盡量降低喜怒哀樂的波動，讓自己沒有任何感受或許會比較輕鬆。但我認為那不是成長，單純只是掩飾的技巧變好罷了。感受許多更悲傷或難受的事情時，總有辦法跨越它，而實踐這樣的力量，才稱得上真正的成長。

當你閱讀後，覺得今天的自己和昨天有些許的不同，那就是出色的進步。我相信透過累積下來的經驗，面對今後多少的困難，必然能順利克服。

7

人類不過是扛著一具屍體的小小靈魂

日本詩人長田弘在他的詩集《世界是一本書》，有這麼一段話：

「人類不過是扛著一具屍體的小小靈魂。」

我當下看到這句話，內心不停顫抖。「我」這個人類的身體，如果少了靈魂就只是一具屍體。我之所以是我，是因為那具屍體中寄宿著靈魂，正因如此，我必須持續鍛鍊心靈，因為那才是我的本質。

讀了這本書後，我領悟到肉體有限，但靈魂是無限的。就算你想讓肌肉變得更發達，也不能無止境的鍛鍊，因為人體是由細胞物質組成，擁有其極限，必然會有結束的一天，靈魂卻是無限的。

人類的思想或精神能超越時代、空間，飛往任何地方，並向外擴散。即使離開人世，自己的思想也能傳達給子孫。無限的心靈能使我們無止境的成長。該如何鍛鍊靈魂使其成長，這就成了肉體消滅成為屍體前的重要課題。

閱讀會進一步磨練靈魂。透過書本，人類可以深度面對自己的心靈，與作者對話，當然就會逐漸成長。

8 有畫面的想像力，總來自閱讀的刺激

人類是唯一能靠視覺和聽覺獲得資訊，並藉此在腦中發揮想像力，創造穩定世界的動物。在腦中轉換外界進來的訊息，形成思考的作業稱為理性行為。人類之所以為人類，是因為我們能夠理性思索。

這是一種非常高難度的作業。其中，用自己的大腦思考或轉換時，最花腦力的是文字。影像、圖片或聲音會直接進入大腦，而我們看到文字的當下，則必須在腦中朗誦，再轉換成實際的意義，且大腦會依序閱讀成列的文字，順著往下理解書本的資訊。換句話說，要在腦中把平面的文字轉換成立

體概念，或跳脫時間和空間，創造無限的可能，只有人類辦得到。

總而言之，大量閱讀能磨練大腦、發展心靈。我認為在書本上得到的衝擊，會比透過影像或聲音還要來得多。假如是影像的資訊，你只能看到部分擷取的內容；就算螢幕上出現廣大的沙漠風景，那也只不過是鏡頭拍到一小部分的場景罷了。

但文字組成的內容，其印象會隨著想像無限擴張。顏色、形狀、大小、時間……要怎麼想像是你的自由，這種創造力永無止境。

我也會善用時下流行 YouTube 等影像，所以我不會否定它，但它省略了精簡文字等，最辛苦又刺激的轉換工程。

顧名思義，文字與影像分別對大腦或心靈造成的負擔不同。影片比較輕鬆，卻缺乏刺激，沒有了刺激就不會產生感動或求知欲。藉由書本的文字資訊建構立體世界，這種喜悅依舊無可取代。

人類會思考各處收集起來的資訊，重新組裝，然後視情況將其產出。最適合維持這種理性行為的工具，就是書本，因為它能同時鍛鍊大腦和心靈。

9

人身上各有金礦，書是試金石

人類看似很理解自己，但其實一無所知。不清楚自身的資質或才能，也不曉得我們到底適合做什麼。

村上春樹曾經在書中提到，人類的才能就像油田或金礦，就算潛力再豐富，不挖掘的話永遠只會深埋地底。要找到埋沒的金礦，也就是夢想，就必須起心動念，並實際拿起鏟子開挖，而且不管遇到多麼堅固的岩盤，你都不可中途放棄，你要堅定心靈。

伊藤塾大都聚集未來想進司法界、或成為公務員的考生，但仍有人會懷疑自己是否適合擔任公職，所以大都還是要先動手，深入挖掘自己的內心，找到尚未發掘的潛能，才會知道自身該往哪條道路前進。當然，途中會遇到迷惘或挫折，有時會覺得這裡沒有任何收穫，或後悔當下的決定。

即便如此還是要相信自己，堅強的探求進步，唯獨這樣的人才能找到金礦。當你感到挫折時，能激勵或點醒自己的最佳工具，就是書本。我永遠相信閱讀各種書籍，就能跨越困難。

我原本是容易負面思考的人，因為書籍的協助，讓我轉換正面思考，並一路支撐我的心靈。我努力翻閱大量的書籍，吸收思考的素材，持續鍛鍊思想，才造就現在的自己。

不會有人一開始就知道自己生存的意義，每個人都是經歷過各種事物後，才會逐漸看見自己該完成的目標。夢想越大，越容易敬而遠之，很多人會說這不適合自己，在拿起鏟子前就放棄未來。

因此，為了不讓這種狀況發生，引領入門或製造向下挖掘的契機，就是我終生的任務。

10 人無法憑空發想，書是思考的推進器

閱讀的目的是什麼？有人當作娛樂或轉換心情；也有人是為了獲得知識或資訊。但我認為閱讀的最大目的是加深思考。為了思索，必須有某種程度的知識，所以我才會閱讀。吸收知識不是最終的目的，是為了收集知識，當作思考的素材。

話雖如此，我不太有機會能把累積起來的智慧，直接表現給大眾認識，也不認為這麼做有其意義。例如我不會為了炒熱氣氛，隨性展現自己多麼偉大又聰明。

此外，憲法等法律相關的知識也一樣，既然書上有寫，那我就不用專程說明書中每個段落。

我做的不是照本宣科，而是以書中的內容為基礎，加入我的思考或變更部分內容，有效的對外產出。

因此書本對我來說一直都是思考的素材。不管是必須閱讀的教科書或參考書，還是自我啟發或娛樂用的小說等，我一律視為素材，思索每個作品的涵義。

閱讀某位作者的所有作品，我會揣摩此人有何種見解；又或是看同個年代不同作家的作品時，也會邊讀邊想：「兩人活在同一個時代，這名作者又對他抱持何種看法？」像這樣帶著關心和興趣，持續思考作品本身、作者和時代背景等，就能更深入思索一切的事物。

透過書本，你會擁有多元的觀點，產生各種立場的思考方式、或多元化的感受，便能多面向的加深自己的思想。

11 看過記不住？其實它悄悄營養了人生

再次強調，書本是思考的素材，所以各位閱讀時，必須意識到看了之後該如何輸出這本書的知識。但有時無法藉由書本做任何後續的思考，難道這就表示那本書沒有用？絕對沒有這回事。

看完的感想是好棒、好厲害、好辛苦、好可憐等情緒，甚至流下眼淚，且無法用自己的話語或文字說明淚水的意義，這就是一種出色的對話。無法傳達內心的感動，跟自己是否有所改變是兩回事。

司法考試也一樣，如果問我很懂法律的人寫得出正確答案嗎？我會說這是兩回事。只有寫了艱澀哲學書的人才能思考人生？並非如此。每個人都能深入思索，自我探討人生，光這樣就足以寶貴。

進一步來說，我甚至認為就算閱讀的內容無法順利輸出，就這樣遺忘也無妨。閱讀的目的絕對不是只有學習，所以不需要確實記住讀過的內容。必要的核心自然會成為讀者的血與肉。就算忘記所有訊息，透過書本得到的體會，依舊會改變樣貌，遺留在自己的心中，建構更好的自我。

你把肉吃下肚，並不會完整留在體內，會被分解，變成胺基酸成為養分，並在身體的某處派上用場。就算忘了前幾個小時才吃過肉，但養分還是建構了自己，所以每件事都有各自的意義。

沒有派不上用場的閱讀，即使當下無法立即發揮具體的作用，或許在未來的某個時間會產生幫助，並為自己的人生帶來意義。世界上有很多乍看是徒勞無功的事情，卻提供許多價值。人生是由「有效的徒勞」構成的。讀過馬上就忘記的書，其閱讀經驗肯定會改變型態，累積在自己的心中，為自己的人生帶來意義，所以沒有派不上用場的書籍。

生命的價值在於生活的過程。邁向死亡是個結果，自己在這段時間內能有什麼成長，如何感到快樂，其總量就是人生的幸福。要在哪裡有效發揮閱讀的結果也很重要，但不光是輸出，看書這個行為和過程本身，其實也有非常大的涵義。如果能這樣思考，閱讀就會變得更加愉快。

因為一個人讀了一本書後，肯定會有某種改變。

結語
從一本書開始——就算只有一句話

我每次受邀演講時，最後一定會介紹一本書，那就是凱文・W・凱莉（Kevin W. Kelley）的著作《我們的星球》（*The Home Planet*）這本攝影集，它刊載多張從宇宙看地球的照片，呈現給讀者浩瀚的美感，那是一種會讓內心顫動的宏偉光景。

距今四十五年前，我第一次搭飛機去德國時，從窗外往下俯瞰的風景，讓我非常驚訝。因為窗外看見的歐洲和我想像的不同，看不見任何國界。這對當時還是國中生的我感到驚訝，當然海上沒有畫線，陸地上也只有無窮盡的森林或田地。看不見國境，更重要的是國家不會被顏色區分。

我小學曾用色鉛筆在白色地圖上塗色；地圖或地球儀上的國家，也會用顏色區分。然而，實際看到的歐洲，卻不一樣：「原來如此，國界是人類自己創造的。」這對我來說是一種新鮮的衝擊。

仔細思考，每個國家的國界都在變化，這跟國家、民族或宗教毫無關係。到頭來還是取決於每一個人的想法，當時年紀還小的我，就能切身感受這一點。同時，我也認為國界沒有太大的意義。

是的，國家不是不變的存在，是由生活在當地的人類之意識和行動，建造而成的環境。因此，國界或民族之間會發生殘酷的戰爭，不過能加以修復的，也是透過人類的力量；在國境建築高牆，或拒絕特定國族入境的是人類；但尊重多樣性，歡迎逃離迫害、恐怖攻擊或戰爭者的也是人類。

留下《魂斷威尼斯》（*Der Todin Venedig*）等經典作品，獲得諾貝爾文學獎的德國作家托瑪斯．曼（Thomas Mann）曾說：「涵養，是指相信人類不可引發戰爭。不是只考慮自己國家的事情，還要深入理解其他國家。」此見解也能通用於日本。

我翻閱前述的攝影集時，無意中看見一處畫線的文字：「我們是一個世界。」這是某位太空人說過的話。幾年前，我曾經被這句話打動內心，當下立即標示此句話，留下痕跡。之後，只要我每次翻閱這個頁面，就會在我心中激起新的漣漪，所以我今天也要畫線標記——沒有任何國界，光彩奪目的一顆地球——觀看這本攝影集時，我永遠都會產生各種感受。

感謝各位讀到最後，本書就算只有一句話能扣動你的心弦，都會讓身為作者的我感到十分幸福。

MEMO

國家圖書館出版品預行編目（CIP）資料

精準閱讀：幫助最多人通過國家考試的大律師，教你進入看得下書的狀態，同時精準抓重點／伊藤真著；林信帆譯. -- 初版. -- 臺北市：大是文化, 2018.06
208面；14.8×21公分. -- （Think；160）
譯自：夢をかなえる読書術

ISBN 978-957-9164-31-3（平裝）

1.讀書法　2.學習方法

019　107005103

Think 160
精準閱讀
幫助最多人通過國家考試的大律師，教你進入看得下書的狀態，同時精準抓重點

作　　者／伊藤眞
譯　　者／林信帆
責任編輯／陳薇如
校對編輯／馬祥芬
副總編輯／顏惠君
總 編 輯／吳依瑋
發 行 人／徐仲秋
會　　計／林妙燕
版權主任／林螢瑄
版權經理／郝麗珍
行銷企畫／汪家緯
業務助理／馬絮盈、林芝縈
業務經理／林裕安
總 經 理／陳絜吾

出 版 者／大是文化有限公司
臺北市 100 衡陽路7號8樓
編輯部電話：（02）23757911
購書相關諮詢請洽：（02）23757911 分機122
24小時讀者服務傳眞：（02）23756999
讀者服務Email：haom@ms28.hinet.net
郵政劃撥帳號／19983366　戶名／大是文化有限公司

香港發行／里人文化事業有限公司 "Anyone Cultural Enterprise Ltd"
地址：香港新界荃灣橫龍街78號正好工業大廈22樓A室
22/F Block A, Jing Ho Industrial Building, 78 Wang Lung Street, Tsuen Wan, N.T., H.K.
電話：（852）24192288　傳眞：（852）24191887
Email：anyone@biznetvigator.com

封面設計／王信中
內頁排版／江慧雯
印　　刷／緯峰印刷股份有限公司
出版日期／ 2018 年 6 月 初版
定　　價／ 300 元（缺頁或裝訂錯誤的書，請寄回更換）
I S B N　978-957-9164-31-3

YUME WO KANAERU DOKUSHO JUTSU by Makoto Ito　Printed in Taiwan